# 헤어질 결심

## STORYBOARD

작화 이윤호 감독 박찬욱

헤어질 결심 스토리보드북
ⓒ 2022 CJ ENM CORPORATION, MOHO FILM ALL RIGHTS RESERVED

발행일
2022년 10월 20일 초판 1쇄
2022년 10월 25일 초판 2쇄

감독 | 박찬욱
작화 | 이윤호
지은이 | 정서경, 박찬욱
펴낸이 | 정무영, 정상준
펴낸곳 | (주)을유문화사

창립일 | 1945년 12월 1일
주소 | 서울시 마포구 서교동 469-48
전화 | 02-733-8153
팩스 | 02-732-9154
홈페이지 | www.eulyoo.co.kr

ISBN 978-89-324-7478-6  03680

## 스토리보드 안내

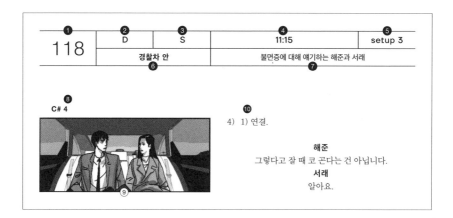

| ① | ② | ③ | ④ | ⑤ |
|---|---|---|---|---|
| 118 | D | S | 11:15 | setup 3 |
| ⑥ 경찰차 안 | | | ⑦ 불면증에 대해 얘기하는 해준과 서래 | |

⑧ C# 4

⑨

⑩

4) 1) 연결.

**해준**
그렇다고 잘 때 코 곤다는 건 아닙니다.
**서래**
알아요..

① 씬 넘버
② 시간 (새벽 DAWN, 낮 D, 해질녘 E, 밤 N)
③ L, S, OS (L=Location, S=Set, OS=Open Set)
④ 영화 속 시간
⑤ 씬별 촬영 셋업 수
⑥ 영화 속 장소
⑦ 씬 설명

⑧ 컷 넘버
⑨ 컷 그림
⑩ 컷 설명

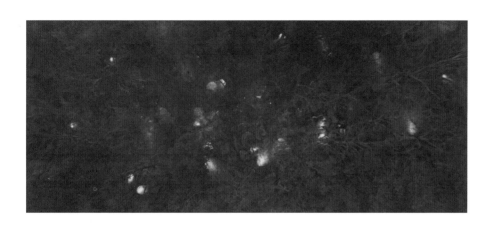

| 1 | DAWN | L | 06:00 | setup 7 |
|---|---|---|---|---|
| | 비금봉 아래 - 구소산 | | 기도수 사건 현장 검증하는 해준과 수완 | |

C# 1

1) 검은 화면에 찰칵 스위치 소리와 함께 손전등 빛이 켜진다.

곧이어 나머지 화면이 밝아지면 사람들이 보인다.
산악구조대원이 카메라 너머의 산을 향해 손전등을 움직이면서 흔적을 찾는다. 경찰관들은 각자 일로 바쁘다.
해준은 시신을 관찰한다.
(기도수 시신이 누운 자리는 돌이 튀어나와 평평하지 않은 지대. 등허리 아래 돌이 있어 머리가 뒤로 젖혀진 모습)

**산악구조대원**
저 자일을 타고 오른 다음에
정상에서 떨어지셨다고 봐야죠.

형사들 머리가 일제히 그 방향으로 돌아간다.

C# 2

2) 리버스.

**산악구조대원**
막 부딪혀 가면서.
(바위와 나무 등에 무언가 부딪친 흔적들을 손전등으로 턱턱 가리키며)
쩌~기, 저기, 조~기, 요기.

틸트다운 -

"요기" 할 때, 두껍게 깔린 낙엽층 위에 누운 변사자 기도수 얼굴에 손전등 빛이 도착.

해준, 도수 곁에 쪼그려 앉는다.
스마트폰으로 블루투스 이어폰을 낀 고인의 귀에 대고 찰칵.

C# 3

3) 해준의 스마트폰 액정 - 손가락 관절마다 옹이처럼 단단하게 불룩하고 손톱이 다 깨진 손도 찍는다. 결혼반지도.

C# 4

4) 액정 - 롤렉스 시계도 찰칵 - 유리 뚜껑은 깨졌고 작동도 멈췄다, 월요일 10시 2분에.

C# 5

5) 선명한 주황색 등산복 차림, 부패가 진행 중인 시신의 눈을 벌려 눈동자를 찍는 해준.

C# 6

6) 봉우리 위에서 본 잡목숲 - 헤드랜턴을 두른 경찰들이 돌아다니는 통에 빛줄기들이 어지러이 움직인다. 강력한 손전등 몇 개가 위를 향해 빛을 쏜다.

| 1 | DAWN | L | 06:00 | setup 7 |
|---|---|---|---|---|
| | 비금봉 아래 - 구소산 | | 기도수 사건 현장 검증하는 해준과 수완 | |

C# 7

7) 시체를 내려다보는 해준.

수완, 같은 자세로 앉으며 프레임인한다.

해준, 시체의 시선 방향을 따라 허리를 뒤로 꺾으면서 산을 본다. 시체 얼굴에서 해준 얼굴로 초점 이동.

**해준**
올라가봐얄 텐데…….

수완, 똑같이 올려다본다.

**수완**
(기대에 차 눈이 반짝반짝)
인제 헬리콥터가 오나요?

C# 1

1) 등강기를 타고 절벽을 오르는 해준이 먼저 프레임인한다.

**수완**
(소리)
열대야에 밤샘 잠복하는 게 싫어요,
이게 싫어요?

곧이어 해준 등에 매달린 수완이 프레임인한다. 줌아웃. 고개 숙일 때는 눈 감고 고개 들 때만 눈 떠 가며 떠드는 수완.

**해준**
이거.
**수완**
세끼 연속 삼각김밥이랑 이거는요?

C# 2

2) 해준.

**해준**
삼김.

C# 3

3) 수완. 바람에 머리칼이 엉망. 말소리도 흩어진다, 크게 해야 들린다.

**수완**
쉬운 코스도 있다는데 왜 굳이 일루 올라가요?

C# 4

4) 해가 다 떴다. 안개도 사라졌다.

**해준**
죽은 사람이 간 길이고 우린 경찰이니까?

C# 5

5) 3) 연결.

**수완**
그럼 내려올 땐 떨어져요, 세 번 부딪히면서?

그 말 하면서 무심결에 아래를 보는 수완.
숨이 가빠지며 헉헉대기 시작. 아예 얼어붙었다.

**수완**
저 고소공포증 있는 거 같아요, 팀장님.
안개 걷히니까…….
(말을 맺지 못하고 헐떡거리더니)
……형, 저 죽을 거 같아요.

C# 6

6) 2) 연결.

**해준**
위만 보면서, 아무 말이나 해.

C# 7

7) 5) 연결.

**수완**
미지는 왜 안 올라가요?
**해준**
구소산 공원 관리소에 보냈어.
**수완**
여자라고 맨날 어려운 거 빼 주고…….
역차별 아녜요?
**해준**
그래, 잘하고 있어……. 계속 그렇게 해, 아무 말.

8) 해준 먼저 프레임인, 이어서 수완도.

**수완**
암벽 타 본 적 있으세요?
**해준**
대학 때 산악회 한 학기.
**수완**
사람이 왜 이런 데 올라가야 돼요?
법으로 금지해야 되는 거 아니에요?

C# 8

프레임아웃하는 두 사람.

| 3 | D | L | 07:30 | setup 15 |
|---|---|---|---|---|
| | 비금봉 정상 - 구소산 | | 정상에서 현장 확인하는 해준과 수완 | |

C# 1

1) 빼꼼 머리 내미는 해준, 프레임인한다.

좁은 정상에 도달하는 해준과 수완, 널브러진다.
올라오면서도 계속 떠드는 수완.

**수완**
한 가지 확실한 건, 절대! 자살은 아니다.
**해준**
왜?

먼저 올라와 있던 산악구조대원이 등강기에 연결된
줄을 풀어 준다.

**수완**
힘들게 여기까지 올라와서
그럴 사람이 있겠어요?

픽 웃는 해준.

C# 2

2) 카라비너 빼는 해준의 손.

C# 3-1

3-1) 시간 경과. 해준과 수완의 연결이 해제된다.

C# 3-2

3-2) 몸이 자유로워지자마자 정상 한복판으로
프레임아웃하는 수완.

해준, 고인이 머물렀던 곳으로 추정되는 곳으로 간다.
주머니에서 주황색 3M 일회용 장갑을 꺼내 낀다.

배낭부터 살펴본다.

C# 4

4) 배낭 훑어보는 해준 시점.

C# 5

5) 배낭 귀퉁이에 수놓인 'K.D.S.'

C# 6

6) 살펴보는 해준, 뒤로 보이는 수완.
정상 한복판으로 가는 수완, 무서워 쪼그리고 앉는다.
폴짝폴짝 한 바퀴 돌면서 사방을 찰칵찰칵 찍는다.

C# 7

7) 해준, 휴대 전화를 꺼내 보니 케이스에도 이니셜.

홈버튼을 눌러 보지만 방전돼서 안 켜진다.

C# 8

8) 배낭 주머니에서 지갑 발견, 같은 이니셜이 금박으로.

지갑에서 고인의 신분증을 꺼낸다.

C# 9-1

9-1) 6) 연결. 해준, 스마트워치를 세 번 탭하더니 입 가까이에 대고 녹음.

**해준**
예순 살 기도수 씨,
소지품마다 이니셜을 새긴다…….

**C# 9-2**

9-2) 해준, 바닥에 놓인 힙 플라스크를 집어 든다.

**C# 10**

10) 역시 금박으로 새겨진 이니셜.

**해준**
(소리)
소유욕.

**C# 11**

11) 9) 연결. 해준, 뚜껑 열어 냄새 맡는다.

**해준**
위스키를 마신다.

손바닥에 술을 조금 따른다.

**C# 12**

12) 약간 오므린 손바닥 가운데 조금 고인 액체.

혀를 대 보는 해준.

C# 13

13) 11) 연결.

**해준**
(음미하며)
높은 도수, 어쩌면 상남자.

해준, 일어서 프레임아웃.

화면 밖 해준을 보는 수완, 엉덩이를 땅에 꽉 붙인 채 괴로워한다.

**수완**
팀장님, 진짜 왜 그러세요?
가까이 가지 마세요!

C# 14

14) 절벽 끝으로 가는 해준, 산꼭대기 강풍에 펄럭이는 옷자락.

C# 15

15) 해준, 아래를 본다.

C# 16

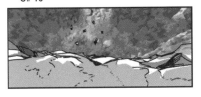

16) 주황색 작은 점으로 보이는 기도수 사체.

C# 17

17) 15) 연결. 오리걸음으로 다가와 해준 발 옆에 엎드리는 수완, 배를 땅에 붙인 채 머리만 내밀고 아래를 본다.
스마트워치를 세 번 탭하고 말하는 해준.

**해준**
보고 있었을까?
**수완**
누가요?
(무슨 말인지 깨닫고 섬뜩해져서 내려다보며)
여기를요?

절벽 끝에 선 해준, 슬쩍만 밀어도 떨어질 것 같다.
머리가 다 엉클어졌다. 주머니에서 인공 눈물을 꺼낸다.

C# 18

18) 해준, 인공 눈물을 점안한다.

C# 19

19) 해준의 눈.

C# 20

20) 18) 연결. 눈 깜빡거리는 해준, 다시 아래를 본다.

19

| 4 | D | L | 07:45 | setup 3 |
|---|---|---|---|---|
| | 비금봉 아래 - 구소산 | | 기도수를 내려다보는 해준과 수완이 보인다 | |

C# 1

1) 도수의 메마른 눈동자 표면을 분주히 오가는 개미
행렬. 마치 칼로 베이기라도 한 듯 가로로 난 빨간 줄.

C# 2

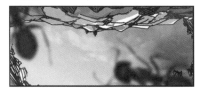

2) 망자의 시점으로, 절벽 끝에 서서 이쪽을
내려다보는 해준과 수완.
개미들이 지나간다. (VFX)

C# 3

3) 망자의 시점으로, 뿌옇게 보이는 해준.

| 5 | D | L | 11:00 | setup 19 |
|---|---|---|---|---|
|   | 시체안치실 - 병원 | | 기도수의 아내 서래에게 시신을 보여 주는 해준과 수완 | |

C# 1

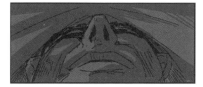

1) 시트로 덮인 기도수 얼굴, 불이 켜지고 두 남자 발소리.

**수완**
(소리)
출입국외국인청에서 공무원 하다가 은퇴했구요
지금은 거기 민간 면접관이래요.

C# 2

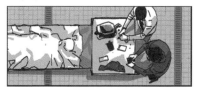

2) 기도수의 베드에 붙여 놓은 테이블 앞에 선 해준과
수완, 장갑 낀 손으로 테이블에 늘어놓은 유류품을
하나씩 살핀다.

충전 중인 고인의 휴대 전화 전원을 켜는 해준.

C# 3

3) 액정 - 삼십 대 여성과 함께 찍은 셀피가
떠오른다.
활짝 웃는 고인과 무뚝뚝한 표정을 한 삼십 대 여성의
대비.

C# 4

4) 수완, 표정이 밝아진다.

**수완**
따님이 미인이시네.

| 5 | D | L | 11:00 | setup 19 |
|---|---|---|---|---|
| | 시체안치실 - 병원 | | 기도수의 아내 서래에게 시신을 보여 주는 해준과 수완 | |

C# 5

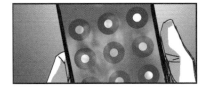

5) 3) 연결. 암호를 요구하는 화면.

C# 6

6) 4) 연결. 실망하는 두 형사.

복도에서 발소리가 들리자 수완, 재빨리 머리를 매만지더니 마중 나가듯 앞으로 나선다.

수완이 프레임아웃하고 혼자 남은 해준, 암호를 풀어 보려는 무력한 시도를 해 본다.

C# 7

7) 정신없이 들어서는 송서래.
초점은 암호를 풀어 보려고 정신 없는 해준에게.

C# 8

8) 화면 밖에서 수완이 전등을 하나 더 켜서 밝아진다.
해준, 눈을 들어 서래를 본다.

**수완**
(소리)
아버님은 이쪽에…….

C# 9

9) 7) 연결. 서래로 초점 이동.
서래, 수완 먼저 보고 해준과 눈이 마주치고 그다음 흰
천이 덮인 도수의 시신을 발견한다.

**서래**
기도수 씨 아내 송서래입니다.
한국어가 부족합니다. 중국에서 왔습니다.

C# 10

10) 딸이 아니라 아내라는 사실에 놀라는 수완.
짧은 숏.

C# 11

11) 8) 연결. 짧은 숏.

C# 12

12) 9) 연결. 서래의 사무적인 말투에 놀랐다가 이내
이해하는 수완.
해준이 나서서 흰 천을 걷어 준다.

C# 13

13) 기도수의 감긴 눈, 일부 부패된 얼굴.
짧은 쇼트.

C# 14

14) 베드와 세 남녀의 다리들.
비틀거리는 서래. 짧은 숏.

C# 15

15) 서래, 다리에 힘이 빠지는지 무너지듯 뒷걸음친다.
수완이 "어어~" 하며 보기만 하는 동안 해준이
민첩하게 움직인다. 짧은 숏.

C# 16

16) 해준, 간이 의자를 펼친다. 짧은 숏.

C# 17

17) 15) 연결. 서래 뒤에 의자 놓아 주는 해준. 앉는
서래. 짧은 숏.

C# 18

18) 앉으며 의자의 프레임을 꽉 잡는 서래의 왼손등에
반창고. 짧은 숏.

C# 19

19) 수수한 결혼반지. 짧은 숏.

C# 20

20) 제 휴대 전화 꺼내는 해준. 짧은 숏.

C# 21

21) 재빨리 화면 확대해서 서래 손등의 반창고를 찍는 해준. 짧은 숏.

C# 22-1

22-1) 다른 의자를 들고 프레임인하는 해준, 의자를 펼쳐 놓고 서래 앞에 앉는 해준.

조금 있다 수완도 들어와 앉는다.

**해준**
기도수 씨가 맞습니까?

| 5 | D | L | 11:00 | setup 19 |
|---|---|---|---|---|
|   | 시체안치실 - 병원 | | 기도수의 아내 서래에게 시신을 보여 주는 해준과 수완 | |

C# 22-2

22-2) 서래가 아득한 눈빛으로 시신을 건너다보며
고개를 끄덕이자 -

**해준**
많이 놀라셨겠습니다.

고개 젓는 서래.

해준과 수완이 도리어 놀란다.

**서래**
산 가서 안 오면 걱정했어요, 마침내 죽을까 봐.
**해준**
(끄덕이며)
마침내……. 저보다 한국어 잘하시네요.

C# 23

23) 서래를 물끄러미 계속 보는 해준.

**해준**
황망하신 중에 죄송합니다만
혹시 패턴 아십니까?

C# 24

24) 해준 시점 - 영문 몰라 하는 서래.

C# 25-1

25-1) 한 박자 늦게 제 실수를 알아차리고 고인의
전화기를 내미는 해준. 그제서야 알아듣고 받아 드는
서래.

| 5 | D | L | 11:OO | setup 19 |
|---|---|---|---|---|
| | 시체안치실 - 병원 | | 기도수의 아내 서래에게 시신을 보여 주는 해준과 수완 | |

**C# 25-2**

25-2) 서래, 안드로이드 잠금 패턴을 슥슥 풀어 준다.

해준, 문자 도착 알림음을 듣고 엉거주춤 일어서며
바지 주머니에 손 넣는다.
기도수 전화기는 수완에게 넘긴다.

| 6 | D | O | 11:15 | setup 5 |
|---|---|---|---|---|
| | 시체안치실 복도/계단 - 병원 | | 서래 얘기하는 해준과 수완 | |

C# 1

C# 2

1) 대화 소리 선행. 프레임인하는 해준과 수완. 바쁘게
답문자하며 걷는 해준. 빠른 걸음으로 뒤따르는 수완.

**수완**
남편이 죽었는데 안 놀랐대,
참 놀라운 부인이네.
**해준**
가서, 목격자 없는 변사자는 부검하는 게
매뉴얼이라고 설명해.

2) 프레임인하는 해준, 걸으면서 돌아보고 -

**해준**
쉬운 말로 해 드려.

다시 앞 보며 걷는 해준.

C# 3

3) 1) 연결.

**해준**
난 질곡동 사건 제보가 와서.
**수완**
질곡동? 정말요?
야 - 1팀 계실 때부터니까 이게 얼마만이야.
하여튼 끈질기셔.

코너 돌아 프레임아웃하는 해준.

**해준**
(소리)
삼 년밖에 안 됐어.

코너 돌면서 화면 밖 해준을 올려다보는 수완, 놀라
멈춘다.

C# 4

4) 몇 계단 오른 상태에서 돌아선 해준.

**해준**
우리 마누라도 안 놀랄 거 같은데?

C# 5

5) 수완.

C# 6

6)
**해준**
그럴 줄 알았다고,
그래서 경찰이랑 결혼하기 싫었다고…….
이럴 거 같애.

C# 7

7) 5) 연결.
**수완**
(해준이 말하는 동안 쭉 딴생각하다가)
그러니까…… '보는 사람 없는 데서 이유 모르게
돌아가신 분은 시체를 열어서 들여다보는 게
매뉴얼…… 음…… 정해진 순서'라고 하면……
쉬워요?

C# 8

8) 6) 연결. 잠깐 생각해 보더니 별 반응 보이지 않고
계단 오르는 해준.

| 7 | D | L | 11:15 | setup 3 |
|---|---|---|---|---|
| | 옥상 - 서래 아파트 | | 서래 동네 주민 탐문하는 미지 | |

**C# 1**

1) (이후 해준의 감시 장소가 되는) 아파트 옆 동과 멀리 바다가 보이는 앵글. (VFX)
옥상에서 고추 말리고 있는 육십 대 아줌마 둘과 이야기하는 미지, 수첩을 들었다.

**아줌마1**
아, 조선족? 걔네 며칠 전에도 싸웠어,

**C# 2**

2) 아줌마 둘 너머로, 고개를 이쪽저쪽 끄덕여 가며 열심히 받아 적는 미지.

**아줌마2**
큰 소리로 싸웠어.

**C# 3**

3)

**아줌마1**
구급차까지 왔던데.

| 8 | D | L | 12:00 | setup 2 |
|---|---|---|---|---|
| | 오빠피씨방 | | 이지구를 목격한 피씨방 알바생과 대화하는 해준 | |

**C# 1**

1) 이십 대 여자 알바생과 대화하는 해준. 알바생은
약간 흥분 상태.

**해준**
작년에 산 선불권을 환불해 달라고……?

**C# 2**

2)
**알바**
그쵸, 그쵸. 원래 안 되는데요.
제가 사장님한테 여쭤봐야 된다고 해 놓고 형사님한테
문자를 한 거예요.
**해준**
아주 잘하셨습니다.
**알바**
(자신에게 감탄)
사진 보여 주신 게 한참 전인데 어떻게 그게 딱 기억이
나서…….

**C# 3**

3) 1) 연결.

**해준**
기억력 좋으시네……. 다시 온다던가요?

**C# 4**

4) 2) 연결.

**알바**
사장님 보통 밤에 나오신다고,
밤에 다시 와 보라고 얘긴 했는데…….
그 사람 무슨 죄 지었어요?
(농담으로)
살인은 아니죠?

**C# 5**

5) 3) 연결. 대답 없이 조용한 해준의 얼굴.

32

| 8 | D | L | 12:00 | setup 2 |
|---|---|---|---|---|
| | 오빠피씨방 | | 이지구를 목격한 피씨방 알바생과 대화하는 해준 | |

C# 6

6)  4) 연결. 경악하는 알바, 하얗게 질린다.

**해준**
(소리)
아직 살인이다 아니다…….

**C# 1**

1)

> **해준**
> ……말씀 드리긴 좀 이르고요.
> 실종 신고를 왜 사흘 있다가 하셨나요?

**C# 2-1**

2-1) 옆방 관찰실에서 보는 수완과 미지.
책상이 지저분하다.

카메라 후진 –

거울에 비친 신문실의 해준과 서래가 프레임인된다.
(카메라가 거울을 통과하는 듯한 효과 VFX)

> **서래**
> (진심으로 궁금해서)
> 한국은 하루만 연락이 안 돼도 신고하나요?
> (해준, 뭐라고 답하면 좋을까 잠깐 생각하는데)
> 남편이 산에서 어떤 모습이었나요?

해준, 틈날 때마다 탁자 여기저기 아무렇게나 놓인
티슈와 물주전자와 머그컵과 텀블러 따위를 사각
쟁반에 단정하게 정리한다.

패닝하면 실물 해준이 프레임인된다.

서래를 똑바로 보며 그녀가 어디까지 감당할 수 있는지
가늠해 보는 해준.

> **해준**
> 말씀으로 해 드릴까요, 사진을 보시겠어요?

반대 방향으로 패닝.

| 9 | D | S | 13:00 | setup 10 |
|---|---|---|---|---|
| | 신문실 / 관찰실 - 서부경찰서 | | 해준과 서래의 첫 번째 신문 | |

C# 2-2

2-2) 다시 거울에 비친 해준과 서래가 보인다.

**서래**
말씀.

왠지 조금 실망한 해준, 입을 열려고 할 때 -

C# 3

3)

**서래**
사진.

C# 4

4) 반가워하면서도 말로는 -

**해준**
눈 뜬 채 발견됐는데……
볼 수 있으시겠어요?

C# 5

5) 서래 시점 - 탁자 한 귀퉁이 - 사각 쟁반 위에
티슈와 물주전자와 깨끗한 머그컵과 텀블러 따위가
단정하게 놓였다.

C# 6

6) 3) 연결. 사각 쟁반을 힐끔 봤던 서래, 미세하게
끄덕.

C# 7

7)  4) 연결. 그 단호함에 깊은 인상을 받는 해준.

C# 8

8)  관찰실에서 본 모습. 해준, 태블릿 PC를 돌려서
절벽 아래 도수의 모습 보여 준다.

**해준**
두부 열상이 직접 사인이었고…….

자세히 보느라 얼굴을 가까이 대는 서래.

C# 9

9)  못 알아들어 미간을 찌푸리는 서래.

C# 10

10)  해준, 제 머리를 손가락으로 짚으며

**해준**
머리통이 깨지신 게 돌아가신 이유라는 겁니다.
(여러 각도에서 찍힌 도수의 사진들을 집중해서
관찰하는 서래를 관찰하는 해준)
피 많이 났을 텐데 비가 와서 씻겼어요, 천만다행으로.
**서래**
원하던 대로 운명하셨습니다.

해준 눈에 물음표.

C# 11

11) 9) 연결. 표현에 자신이 없는지 해준의 반응을 살피면서 "'운명' 아닌가……?" 하고 거의 안 들리게 말하는 서래, 어색하게 약간 웃는다.

C# 12

12) 관찰실의 수완, 미지를 돌아보며 -

**수완**
웃는 거 봤어?

C# 13

13) 관찰실에서 보이는 해준, 참을성 있게 다음 문장을 기다린다.
재킷 안주머니에 오른손을 미리 넣어 놓고 지켜보는 해준. (그림과 다름)

C# 14

14) 11) 연결. 서래 눈에 약간 습기가 찬다.

**서래**
깔끔한 남자였거든요.

C# 15-1

15-1) 10) 연결. 서래의 손가락이 사진을 또 한 장 넘긴다. 서래를 관찰하다가 기다렸다는 듯 주머니에서 위생 비닐봉지를 꺼내는 해준, 입구를 벌리고 입으로 바람을 불어 넣어 부풀린 다음 건넨다.

| 9 | D | S | 13:00 | setup 10 |
|---|---|---|---|---|
| | 신문실 / 관찰실 - 서부경찰서 | | 해준과 서래의 첫 번째 신문 | |

C# 15-2

15-2) 얼떨결에 받는 서래, 다음 순간 욕지기가
솟아오르자 얼른 일어나 구석으로 간다.

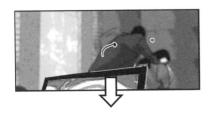

해준도 따라간다.

카메라 틸트다운/줌인/초점 이동.

태블릿 PC 화면 - 도수의 눈 클로즈업 사진.

| 10 | D | L | 15:00 | setup 3 |
|---|---|---|---|---|
| | 진료실 - 병원 | | 가정 폭력 흔적의 서래 사진을 보는 해준 | |

C# 1

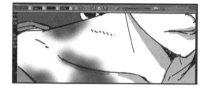

1) 의사의 모니터 - 서래 어깨에 멍든 사진.

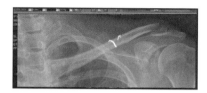

부러진 쇄골 엑스레이.

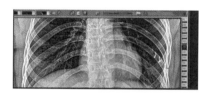

갈비뼈 엑스레이 사진.

**의사**
(소리)
심지어 웃지도 못했어요,
부러진 갈비뼈가 폐를 압박해서.

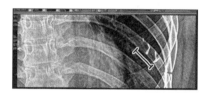

갈비뼈의 금 간 부위를 확대해 보여 주는 의사.

그 외 처참하게 멍들고 찢어진 서래의 신체 부위
사진들. 갈비뼈, 가슴, 허리, 다리, 어깨 등. 얼굴과
손발도 부분적으로 찍혔다.

C# 2

2) 여자 의사의 설명 듣는 해준.

**의사**
경찰에 신고하자고, 이러고도 웃음이 나오냐고 했더니
또 웃으려고 하더라고요, 참…….
(뭔지 알 것 같은 해준의 표정)
나중에 들으니까 처벌을 원치 않는다고 했대요,
남편이 이제 안 때린다고 막 비니까.
보이세요? 이 남자 깔끔한 성격이에요.
(모니터를 가리키며)
눈에 안 띄는 곳만 부서뜨려 놨잖아요.

| 10 | D | L | 15:00 | setup 3 |
|---|---|---|---|---|
| | 진료실 - 병원 | | 가정 폭력 흔적의 서래 사진을 보는 해준 | |

C# 3

3) 1) 연결. 잔뜩 멍든 골반 사진에 주목한다. 화려한 레이스로 장식된 버건디색 팬티의 라인 바로 위에 문신이 있다.

C# 4

4) 2) 연결. 의사의 마우스를 가져다가 움직이는 해준.

C# 5

5) 3) 연결. 확대해 보니 화려한 장식체로 'KDS'.

C# 6

6) 한숨 쉬는 해준.

| 11 | D | L | 16:30 | setup 2 |
|---|---|---|---|---|
| | 사격 레인지 - 서부경찰서 | | 권총 사격하며 사건 얘기하는 해준과 수완 | |

C# 1

1) 권총 사격하는 수완과 해준. 마지막 세 발.
표적지들이 맞으면서 펄럭인다.
총 쏘면서 그 생각만 했는지 귀마개를 벗자마자 -

**수완**
그 정도면 절벽에서 확 밀어 버리고
싶지 않을까요?

표적지 회수 버튼을 누르는 두 형사. 표적지들과 함께
카메라 전진 시작.

**해준**
넌 그런 얘기 들으면, 학대당한 사람이
범인이란 생각부터 드냐?
**수완**
팀장님은 어떤 생각부터 드는데요?
**해준**
불쌍하다는 생각.
(어이없어 헛웃음 짓는 수완)
질곡동 사건 말이야······.
사건 일주일 전에 범이 친구 중에 이지구란 놈이
차 렌트를 했더라고?
**수완**
(건성으로)
저런······.
**해준**
어찌어찌 그 차를 찾아 뒤졌더니 트렁크에서
죽은 범이 디엔에이가 나온 거야.

표적지 회수하는 두 형사.
마지못해 '아······' 하는 수완, 총 들고 프레임아웃한다.

해준, 화면 밖 수완을 향해 -

**해준**
삼 년 전에 그땐 그걸 왜 놓쳤을까?

따라 나간다.

| 11 | D | L | 16:30 | setup 2 |
|---|---|---|---|---|
| | 사격 레인지 - 서부경찰서 | | 권총 사격하며 사건 얘기하는 해준과 수완 | |

**C# 2**

2) 의경 너머, 걸어오는 수완과 그 뒤 해준.

**수완**
(표적지, 총, 보안경과 방탄조끼를 반납하고
사격훈련필 서류에 사인하면서 무성의하게)
글쎄요…… 왜 놓쳤을까…….
**해준**
이제 잡아야지, 잡아야 되는데
서장님하고 1팀은 들은 척도 안 해.

의경이 카메라 뒤에서 재킷들을 꺼내 내민다. 받아
드는 해준.

**수완**
(같이 염려해 주는 척)
어떡해요…….

수완에게 재킷을 입혀 주는 해준.

**해준**
우리가 해야지.
**수완**
우리?
**해준**
응, 너랑 나랑.

한 팔만 낀 채로 이해가 안 된다는 얼굴로 보는 수완.

| 12 | E | L | 17:30 | setup 1 |
|---|---|---|---|---|
| | 수완 차 안 - 오빠피씨방 앞 | | 피씨방 앞에서 홀로 잠복하는 수완 | |

C# 1

1) 조수석에서 본 '오빠피씨방' 간판. 건물 출입구에서 젊은 남자가 나온다.

그를 따라 패닝하는 카메라 -

운전석의 수완이 프레임인된다. 전기 안마기로 목덜미를 누른다. 덜덜거리는 소리와 함께 머리가 흔들리지만 꾹 참고 열심히 피씨방을 노려보는 수완, 불만에 찬 표정으로 스피커폰 통화 중.

**수완**
아니요……. 이게 '너랑 나랑'이냐고요…….

44

| 13 | E | S | 17:30 | setup 3 |
|----|---|---|-------|---------|
|    | 해준 차 안 - 해안 도로 | | 수완과 통화하며 운전하는 해준 | |

C# 1

1) 해는 졌지만 하늘은 아직 깜깜해지기 전. 해안 도로를 달리는 해준의 시점 - 전조등 빛 닿는 범위 내의 안개가 진흙탕처럼 뭉클뭉클 꿈틀거린다.

C# 2

2) 그 꼴을 구경하다가 잠이 쏟아져 깜빡. 뒤차가 경적을 울리는 바람에 정신 차리는 해준, 손바닥으로 낯을 문지른다.
차 앞 유리에 부딪혀 흩어지는 안개. 뒤차가 속도를 내서 옆 차로로 지나간다.

**해준**
왜 말을 하다 말아……. 더 좀 해 봐.
**수완**
(스피커폰 소리)
그러니까 밤에 좀 주무시라고요…….
위험해서 어떡해, 이거…….
맨날 잠복근무하니까 잠이 부족하잖아요.
**해준**
잠복해서 잠 부족이 아니라
잠이 안 와서 잠복하는 거야.
**수완**
(소리)
뭐래……. 간장공장공장장도 아니고.
**해준**
말 좀 해, 솔직히 너두 졸리잖아.
……야, 자냐?

조용하다. 눈 부릅뜨는 해준.

C# 3

3) 해준 시점 - 안개 너머로 '이포, 원자력 발전소' 이정표가 희미하게 보인다.

C# 1-1

1-1) 벽에 걸린 액자 클로즈업 - 원자로 외경.

근경으로 초점 이동하면 유니폼 입은 정안. (VFX)

화면 넓어지면 사진 위에 얹힌 활자 -'핵발전의 핵인싸 - 역대 최연소 원자로 조종감독자 안정안씨'라는 기사 스크랩.

**해준**
(소리)
주말에 기숙사에 남는 애들이 많대?
**정안**
(소리)
수학 올림피아드 때문에 바쁘대잖아.

액자 앞 지나가는 정안을 따라 우향 패닝하면 부엌.

보글보글 끓는 매운탕을 가져오는 해준.
정안은 자리에 앉아 숟가락 들고 기다린다.

**해준**
하주 무슨 문제 있는 건 아니지?

C# 1-2

1-2)

**정안**
걘 이과라서 나 닮았어.
난 완벽하게 이해되는데?
(정안, 기대감으로 얼굴이 환해지면서도
얻어먹는 게 미안해서)
초밥 같은 거 사다 먹자니까.
**해준**
나 있을 때만이라도 뜨거운 거 먹이게…….
초밥은 아무 초밥이나 먹기 싫어.
**정안**
(매운탕 떠먹고 맛이 너무 좋아
몸까지 부르르 떨며)
이포로 전근 오면 안 돼? 나 매일 이런 거 먹게.

진지한 제안을 지나가는 말처럼 해 보지만 남편은 빙긋
웃기만.

**정안**
내 옆자리 이 주임 말이야, 샘 많다는…….
나 걱정하는 척하면서 은근히 멕이는 거 있지?
점심 때 여럿이 수다 떠는데 이러더라?
주말부부 열 쌍 중 여섯이 이혼을 심각하게
고려한다는데 괜찮냐고.
**해준**
(소리)
그래서 뭐랬어?
**정안**
섹스리스 부부 중에 오십오 프로가
이혼한다는데 괜찮냐고.

웃음 터뜨리는 해준.

C# 2

2) 해준 어깨너머로 정안.
제 농담이 잘 작동해서 만족한 얼굴로 남편을 지긋이
본다.

| 15 | N | L | | 22:00 | setup 6 |
|---|---|---|---|---|---|
| | 침실 - 정안 집 | | | 부부 관계 중인 해준과 정안 | |

C# 1

1) 짧은 디졸브. 정안, 눈 감고 즐긴다.

화면 좌측을 차지한 해준 어깨너머 정안, 문득 이상한 기척을 느끼고 눈 뜬다.

C# 2

2) 정안 시점 - 해준, 약간 고개를 틀고 딴 데 보고 있다.

C# 3

3) 1) 연결.
정안의 궁금해하는 표정.

C# 4-1

4-1) 2) 연결.
천천히 카메라 이동하면서 접근.

정안의 시점 숏에서 시작해 -

해준의 눈이 향하고 있는 허공의 어느 한 점에서 본 앵글로 바뀐다. 해준이 상상 속에서 보고 있는 어떤 다른 사람의 시점 숏인 셈이다.

C# 4-2

4-2) 해준 얼굴로 줌 인.

C# 5

5) (해준의 시점 숏인 것처럼) 가구 뒤 방구석 벽지에 조금 번진 곰팡이를 보다가 잠깐 딴생각에 빠지는 해준.

곰팡이를 향해 줌인.

네거티브 이미지로 바뀐다.

C# 6-1

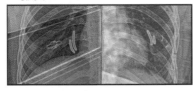

6-1) 디졸브되면 -

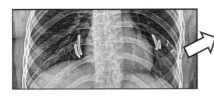

서래의 엑스레이 사진 - 금 간 갈비뼈.
잠시 후, 심장이 꿈틀꿈틀 움직이기 시작한다.

카메라 이동 -

C# 6-2

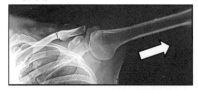

6-2)　서래의 쇄골(금이 보인다)과 어깨를 지나
손까지.

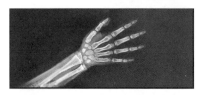

주먹을 쥐었다 폈다 하는 서래의 손.

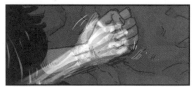

엑스레이 이미지가 디졸브되어 -
(VFX)

C# 7-1

7-1)　해준의 손이 된다. 정안의 머리를 받치고 있느라
팔이 저려서 천천히 주먹을 쥐었다 폈다 한다.

**정안**
우리, 좋지.
**해준**
응.

| 15 | N | L | 22:00 | setup 6 |
|---|---|---|---|---|
| | 침실 - 정안 집 | | 부부 관계 중인 해준과 정안 | |

C# 7-2

7-2) 카메라 상승, 부부가 프레임인된다.
이불 덮고 나란히 모로 누운 두 사람.

**정안**
십육 년 팔 개월 동안 계속 좋지.
**해준**
그걸 세고 있냐……. 하여튼 이과셔…….
**정안**
섹스가 고혈압이나 심장병에 좋다고들 하잖아.
최근 연구 보니까 인지 능력 향상에도
그렇게 좋다네?
**해준**
어허, 놀랍군.
**정안**
우리 매주 해야 돼, 서로 밉고 싫은 때에도.
(진지하게 끄덕이는 해준)
난 그런 게 필요해, '지금 당장' 육체적으로 당신을
강렬하게 소유하는 거.

안타깝다는 듯 갑자기 남편을 꼭 끌어안는 정안. 숨
막혀 기침하는 해준, 웃는다.

**해준**
막상 경찰이 잘 죽진 않아, 여보.
통계에 의하면 - 당신 통계 좋아하잖아 - 택시 기사나
주부보다 덜 죽는대.
**정안**
너 아까도 사건 생각했지?
(해준, 뜨끔)
질곡동 사건?
**해준**
아니, 젊은 조선족 여자가 산에서 죽은 사건…….
늙은 남편이 불쌍하더라구.

C# 8

8) 정안 뒤통수 너머로 보이는 해준. 화면에 바로 선
얼굴. 또 딴 데 본다.
화면 밖에서 온 자동차 빛이 훑고 지나간다.

C# 1

1) TV 불빛만 껌뻑이며 서래 얼굴을 밝힌다.

C# 2

2) 소파에 최대한 몸을 작게 웅크리고 앉았다.

C# 3

3) 서래 시점으로 TV - 노을 지는 강변. 무복 차림의 여자와 두루마기 차림의 남자. 옆에 뒹구는 무녀의 빨간 모자.

(〈흰 꽃〉 C#1)

C# 4

4) 화면 가득 차는 TV 화면 - 무녀의 피로 펑 젖은 저고리를 벗겨, 어깨의 상처를 드러내는 류선생.

(〈흰 꽃〉 C#2)

**무녀**
더 이상 갈 데가 없소,
이대로 죽게 두시오.

(〈흰 꽃〉 C#3)

| 16 | N | S | 22:00 | setup 4 |
|----|---|---|-------|---------|
|    | 거실 - 서래 아파트 | | TV 사극 〈흰 꽃〉 보며 한국어 익히는 서래 | |

**C# 5**

5) 1) 연결. 류선생과 동시에 낮은 목소리로 말하는 서래.

**류선생/서래**
독한 것…….

C# 1

1) 창마다 한 자씩 '손녀딸노인돌봄'이라고 붙여 놓은 사무실 외경. 길쭉한 방.

진주 목걸이/검은 원피스/검은 스타킹 차림의 중년의 여성 실장과 해준이 실장의 자리로 간다.

**실장**
서래 씨는 월화수목금
다 다른 독거 노인 댁으로 다녀요.
월요일이랬죠? 일루 오세요.
(컴퓨터로 뭔가를 찾는다. 해준이 옆에 와 엉거주춤
서서 모니터를 본다)
저희 환자분들이 의사 표현을 잘 못하실 수 있어서
담당자가 환자분께 전화를 드리거든요.
오전 아홉 시에.
간병인이 제대로 갔는지 다 확인이 됩니다.
송서래, 월요일이면 이해동 할머니네요.
이날도 전화 확인됐구요.

C# 2

2)
**해준**
저 죄송하지만…… 의사 표현 못하시는 분들이
전화는 받나요?
**실장**
그럴 경우엔 간병인이 받죠.
**해준**
(의자 하나를 가져와 앉으며)
송서래 씨 평소 근태가……?
**실장**
할머니들은 이렇게 말하죠,
이것은 간병인인가 손녀딸인가.
간호사 출신이라 주사도 놔 줄 수 있고
저희 업체 에이스죠, 에이스.
우리 서래 씨로 말씀드리자면요…….

C# 1

1) 각자의 쌍안경으로 서래를 보는 차 안의 해준과 수완.

**수완**
……무서운 여자예요. 저 반지 뺀 거 봐요.

쌍안경을 내리는 수완, 전기 안마기를 해준 어깨에 댄다.

C# 2

2) 마사지해 주는 수완.
창밖으로 보이는 고즈넉하고 낡은 저층 아파트 단지.

C# 3

3) 덜덜 떨리는 해준 시점 – 편한 원피스 차림의 서래, 1층 창가 안락의자에 앉은 할머니가 차 마시며 떡 먹도록 돕는다.

C# 4

4) 1) 연결.

**해준**
(쌍안경에서 눈 떼지 않은 채
한 손으로 안마기를 치우며)
슬픔이 파도처럼 덮치는 사람이 있는가 하면
물에 잉크가 퍼지듯이 서서히
물드는 사람도 있는 거야.

심심한 듯 기도수 휴대폰을 꺼내 켜는 수완, 서래와 도수의 셀카 배경 화면을 보며 심드렁하게 –

**수완**
시집 내면 알려 주세요, 한 권 사 드릴게.

C# 5

5) 서래와 도수의 셀카 배경 화면.
수완이 (시체안치실에서 서래가 제공한) 암호를
입력하자 화면이 열린다.

즐겨찾기에서 유튜브 채널 〈기도수TV〉를 찾아 연다.

전체 화면으로 재생하면서 가로로 휴대폰 돌리는 수완.

기도수가 셀카봉 스마트폰으로 찍어 올린 영상
- 등산복 차림으로 산길 걷는 도수, 화면 구석에
〈기도수TV〉라는 제목.

**도수**
……하루 열두 시간 앉아서 잠재적인 불법 입국자를
걸러내야 하는 힘든 일이죠.
하지만 암벽을 타는 생각만 하면
제 마음은 완전히…….

수완의 휴대 전화에서 문자 알림음이 울리자 영상
정지하는 수완.

C# 6

6) 서래 계속 보는 해준.

C# 7

7) 오른손으로 제 전화기를 드는 수완, 도수 전화기 위에 겹쳐 놓고 받은 문자를 띄운다.

C# 8

8) 6) 연결. 문자 확인하는 수완, 흥분해서 –

**수완**
이거 봐, 이거 봐…… 살인 같더라니까!
기도수 손톱 밑에서 딴 사람 디엔에이가 나왔네요.

쌍안경 보면서 흐음 – 하는 해준.

C# 9

9) 3) 연결. 해준의 시점 – 할머니는 무슨 이야기를 많이도 한다. 경청하면서 할머니 팔을 정성껏 마사지하는 서래.

10-1) 8) 연결.

C# 10-1

**해준**
(쌍안경 내려놓으며)
송서래 다섯 시 퇴근이지? 네 시 반쯤 전화해.
경찰서 와서 구강 상피 세포 채취 협조해 달라고.

**수완**
죄진 게 있으면 협조하기 주저하겠죠?
바쁜 일 있다 거짓말할 수도 있고,
아예 도주를 시도하면 완전 고맙지.
근데 아, 또 '구강상피세포채취'
그거 어떻게 풀어서 말하나…….
(슬쩍 해준 눈치를 살피며)
아, 골치 아픈 생각하니까
갑자기 위장 상피 세포에 통증이 오네?

**해준**
먹고 와.
(수완이 차 문 열려는데)
또 비싼 거 사 먹지 말고.

입 비죽거리며 하차하는 수완.

C# 10-2

10-2) 기다렸다는 듯 다시 쌍안경 들여다보는 해준.

C# 11

11) 서래가 안 보이자 당황한 듯 이리저리 서래를 찾아가는 해준의 시점 - 간식 먹고 남은 것들을 착착착 치우는 서래.

C# 12

12) 해준.

C# 13

13) 바퀴 침대의 시트를 새것으로 가는 익숙한 손길.

서래, 할머니를 부축하고 모셔 와 부드럽게 눕힌다.

C# 14

14) 얼굴을 앞으로 더 내미는 해준.

C# 15

15) 13) 연결. 팔에 주사를 놓아 주는 숙련된 동작.

C# 16

16) 새에게 밥을 주는 서래의 얼굴이 각도와 방향과 조명 때문에 잘 안 보인다.

C# 17-1

17-1) 해준, 답답하다. 쌍안경을 내리면 어느새 –

상상 속에서 – 그 방에 함께 있는 해준.

카메라 후진해서 공간 소개.
해준이 걸어온다.

| 18 | D | L / S | 14:30 | setup 26 |
|---|---|---|---|---|
| | 해준 차 안 / 월요일 할머니 집 | | 월요일 할머니 돌보는 서래를 감시하는 해준과 수완 | |

C# 17-2

17-2) 카메라, 더 후진해서 서래를 프레임인시킨다.

새 모이 주는 서래, 그늘진 위치라 어둡다.

해준이 바로 뒤로 와 서래를 관찰한다.

C# 18

18) 해준 시점 – 서래 얼굴을 더 잘 보기 위해 몇 발짝 움직인다.

새에게 말 거는 서래. 목소리는 안 들린다.

새장을 향해 패닝. 앵무새가 뭐라고 지껄이지만 역시 우리는 들을 수 없다.

C# 19

19) 자리를 옮기는 서래, 화면을 가로질러
프레임아웃한다.
잘 보기 위해 덩달아 자리를 옮기는 해준,
프레임아웃한다.

C# 20

20) 해준 시점 - 붐다운해서 어항.

그 안에 빨간 물고기 한 마리.

그 너머, 어항 반대편에 있는 서래 얼굴이 보인다. 밥을
수며 물고기에게 말 거는 서래.
목소리는 안 들린다.

C# 21

21) 해준 시점 - 녹색 표지의 공책.

C# 22

22) 해준 시점 - 낭독하는 입술.
서래의 목소리는 들리지 않는다.

| 18 | D | L / S | 14:30 | setup 26 |
|---|---|---|---|---|
| | 해준 차 안 / 월요일 할머니 집 | | 월요일 할머니 돌보는 서래를 감시하는 해준과 수완 | |

**C# 23**

23) 서래 보는 해준.

**C# 24**

24) 해준 시점 - 할머니 어깨 토닥이는 서래의 손.
할머니가 잠이 들자 낭독을 멈추고 숨소리를 확인하는
서래, 낮잠 든 아이를 바라보는 엄마처럼 만족스럽게
할머니 머리를 쓸어 넘긴다.

서래의 왼손 움직임 따라 틸트업하는 카메라.

서래, 흘러내리는 제 앞머리를 귀 뒤로 넘긴다.
귀에 솜털까지 보일 만큼 가까이서 들여다본다.

**C# 25-1**

25-1) 고요한 표정에 매혹되는 해준, 크게 숨을
들이쉬어 체취를 맡으며 뺨을 붉힌다.

자리에서 일어나는 서래.

| 18 | D | L / S | 14:30 | setup 26 |
|---|---|---|---|---|
| | 해준 차 안 / 월요일 할머니 집 | | 월요일 할머니 돌보는 서래를 감시하는 해준과 수완 | |

C# 25-2

25-2) 서래가 프레임아웃하는 쪽으로 돌아보는 해준.

(화면 밖에서) 가방에서 책을 꺼낸 서래, 다시
프레임인했다가 아까와는 반대쪽으로 프레임아웃.

또 돌아보는 해준.

C# 26

26) 해준 시점 - 서래, 식탁으로 가서 그 책과 아까의
녹색 공책을 나란히 펼쳐 놓고 글씨를 쓰기 시작한다.
책을 연신 보면서 필사.

얼굴이 보고 싶다는 듯 접근하는 카메라.
식탁 주위를 돌아 다가가서 높이까지 낮춘다.

64

| 18 | D | L / S | 14:30 | setup 26 |
|---|---|---|---|---|
| | 해준 차 안 / 월요일 할머니 집 | | 월요일 할머니 돌보는 서래를 감시하는 해준과 수완 | |

C# 27

27) 해준의 쌍안경 시점.

C# 28

28) 14) 연결. 차 안. 쌍안경에 눈 댄 채로 살며시 전화기 집어 드는 해준, 몸을 돌린다.

줌아웃.

수완이 오는지부터 확인하더니 발신 버튼 누른다.

C# 29-1

29-1) 27) 연결. 주머니에서 진동을 느끼고 깜짝 놀라는 서래, 발신인 확인하고 일어나 창가로 걸어오며 받는다.

창문 여는 서래.

줌인하면서 쌍안경 비네팅 사라진다.

| 18 | D | L / S | 14:30 | setup 26 |
|----|---|-------|-------|----------|
|    | 해준 차 안 / 월요일 할머니 집 | | 월요일 할머니 돌보는 서래를 감시하는 해준과 수완 | |

C# 29-2

29-2) 서래, 소곤소곤 -

**서래**
안녕하세요?
**해준**
(소리)
제 번호를 저장해 두셨나 보네요.

서래, 창틀에 팔꿈치를 대고 서서 통화한다.

**서래**
네.

C# 30

30) 해준 시점 - 서래의 왼손, 결혼반지 끼었던 자리만
피부가 희다.

C# 31

31) 서래 바로 옆에 선 해준, 기분 좋아진다.
전화기도 없이 직접 대화하듯 -

**해준**
기도수 씨 손톱 밑에서 다른 사람 디엔에이가
검출됐습니다.
(미간을 모으는 서래)
지금 경찰서에 와서 저희한테 디엔에이를
좀 주셔야겠는데요.
**서래**
안 돼요.
**해준**
왜요?
**서래**
나 일해요.
**해준**
남편 돌아가셨는데 벌써 출근하셨나 봐요?
**서래**
죽은 남편이, 산 노인 돌보는 일을
방해할 순 없습니다.

| 18 | D | L / S | 14:30 | setup 26 |
|---|---|---|---|---|
| | 해준 차 안 / 월요일 할머니 집 | | 월요일 할머니 돌보는 서래를 감시하는 해준과 수완 | |

**C# 32**

32) 해준 시점 - 망설임 없이 확고한 서래의 표정.

**C# 33**

33) 차 안의 해준, 쌍안경을 내린다.
'아- 그렇구나' 깨닫는다.

| 19 | D | S / L | · 16:30 | setup 6 |
|---|---|---|---|---|
|  | 해준 차 안 / 서래 차 안 - 도로 | | 서래를 미행하는 해준, 경찰서에 도착한다 | |

C# 1

1) 운전하는 서래.

C# 2

2) 해준 시점 - 수완과 통화하면서 서래 차를 미행한다.

패닝해서 운전하는 해준.

**해준**
아니, 집 방향은 아냐…….
누구 만나는지 한번 봐야지.

C# 3

3) 1) 연결. 서래, 룸미러를 본다.

C# 4

4) 서래 시점 - 해준의 차, 반사 때문에 해준 얼굴은 안 보인다.

| 19 | D | S / L | 16:30 | setup 6 |
|---|---|---|---|---|
| | 해준 차 안 / 서래 차 안 - 도로 | | 서래를 미행하는 해준, 경찰서에 도착한다 | |

C# 5

5) 3) 연결. 우회전하는 서래.

C# 6

6) 2) 연결. 우회전하는 해준.

C# 7

7) 해준 시점 - 서래 차와 거리 풍경. 내리막길.

C# 8

8) 5) 연결. 좌회전하는 서래.

C# 9

9) 좌회전하는 해준, 서래 가는 방향이 좀 의외라는 생각이 든다.

| 19 | D | S / L | 16:30 | setup 6 |
|----|---|-------|-------|---------|
|    | 해준 차 안 / 서래 차 안 - 도로 | | 서래를 미행하는 해준, 경찰서에 도착한다 | |

C# 10

10) 해준 시점 - 서래 차가 경찰서로 들어간다.

C# 11

11) 9) 연결. 해준, 허를 찔린 표정으로 뒤따른다.

C# 12

12) 10) 연결. 정문 보초 서는 의경이 해준을 알아보고 경례한다.

C# 13

13) 11) 연결. (건성이지만) 거수경례 동작으로 받아 주는 해준.

| 20 | D | S | 16:50 | setup 5 |
|---|---|---|---|---|
| | 신문실 - 서부경찰서 | | 구강 상피 세포 채취 검사하는 서래를 지켜보는 해준 | |

**C# 1**

1) 해준 시점 - 렌즈를 올려다보다가 앉은 채 회전의자를 돌리는 서래, 측면을 보인 상태에서 고개를 조금 젖히고 입을 벌린다.

미지 몸이 프레임인한다.

**C# 2**

2) 면봉으로 서래의 입안을 긁어내는 미지. 제 의자 등받이에 손 짚고 서서 구경하는 해준.

**해준**
못 오시는 줄 알았는데, 고맙습니다.

**C# 3**

3) 해준 시점 - 서래, 곁눈질.

**C# 4**

4) 서래 시점 - 해준의 결혼반지를 본다.

| 20 | D | S | 16:50 | setup 5 |
|----|---|---|-------|---------|
|    | 신문실 - 서부경찰서 | | 구강 상피 세포 채취 검사하는 서래를 지켜보는 해준 | |

C# 5

5) 2) 연결.
서래에게 줌인.

서래, 해준을 곁눈질한다.

카메라 움직여 - 거울에 비친 해준.

서래가 뭘 보는지 의식하는 해준.
자기 손 봤다가 서래 얼굴 본다.

C# 6

6) 해준 얼굴 보는 서래의 시점 -

해준, 렌즈와 눈이 마주친다.

C# 7

7) 3) 연결. 시선 회피하는 서래.

| 21 | D | S | 16:50 | setup 3 |
|---|---|---|---|---|
| | 거실 - 월요일 할머니 집 | | 월요일 할머니에게 서래에 관해 묻는 수완 | |

C# 1

1) 할머니의 어항 속 빨간 물고기.

할머니의 가슴께서 본 앵글로, 마치 컵이 어항처럼 디졸브된다. (VFX)

C# 2

2) 할머니가 입으로 바람을 불어서 녹차가 흔들린다.

C# 3

3) 식힌 녹차를 호로록 마시는 할머니.
앞에 다소곳이 앉아 사과 껍질을 벗기는 수완, '이게 아닌데……' 하는 표정.

**할머니**
아는 스님이 지리산에서 한 잎 한 잎 따신 건데, 이렇게 뜨겁게 만들면 안 되지.
**수완**
다음에 잘할게요, 월요일날 송서래 씨가 몇 시쯤 왔어요?
**할머니**
시리야, 노래 틀어 줘. 정훈희의 안개.
(블루투스 스피커에서 기타와 색소폰 연주가 흘러나온다)
노래 좋지? 서래가 넣어 줬어.

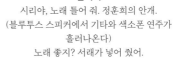

**C# 1**

1) 해준 시점 - 손을 책상에 올려놓은 서래, 노동으로 너덜너덜해진 반창고를 보란 듯이 확 떼어낸다.
거의 아문 상처.

**서래**
싸웠어요.

**C# 2**

2) 질문하듯 서래를 보는 해준.

**서래**
(소리)
남편은 산에 가자고…….

**C# 3**

3)

**서래**
……난 산 싫다고.

**C# 4**

4) 2) 연결.

**해준**
산 싫어한다고 아내를 할퀴어요?

**C# 5**

5) 1) 연결.
벌떡 일어서는 서래, 의자 밀리는 소리.
몇 발 물러나더니 치마를 걷어 올린다.

**C# 6**

6) 거울에 비친 서래에서, 당황해서 덩달아 일어나는
해준으로 초점 이동.

**해준**
여자 경찰 부르겠습니다.

**C# 7**

7) 관찰실에서 본 해준, 햄버거 먹는 미지에게 오라고
손짓한다.

C# 8

8) 서래, 치맛단 잡은 손 내리며 –

**서래**
괜찮아요.

거울 속 해준으로 초점 이동 –

**해준**
사진을 찍어야 하는데요.
**서래**
괜찮아요.

해준의 '그러시다면……' 표정.

C# 9

9) 7) 연결.
해준, 거울을 향해 미지 안 와도 된다고 턱짓. 그러나
이미 미지는 안 보인다. 서래, 다시 치맛단을 올린다.

C# 10

10) 문이 벌컥 열리자 깜짝 놀라는 해준, 잘못한 것도
없이 눈치 보이고 엉거주춤 스마트폰을 들고 섰다.
서래, 돌아본다.

**서래**
괜찮아요.

| 22 | D | S | 17:00 | setup 17 |
|---|---|---|---|---|
| | 신문실 - 서부경찰서 | | 서래의 사연을 듣는 해준 | |

C# 11

11) 의심스런 눈으로 해준과 서래를 번갈아 보다
나가는 미지.

C# 12

12) 해준, 서래의 허벅지에 흉측하게 죽죽 그어진
6개의 손톱자국을 세 번 사진 찍는다.

C# 13

13) 두 번째 사진.

C# 14

14) 세 번째는, 안쪽까지 잘 찍으라고 몸을 조금 틀어
주는 서래.
(해준은 앉아서 찍는다.)

서래 손이 치마를 놓자 치마가 허벅지를 가린다.

C# 15

C# 16

15) 해준 시점 - 앉는 서래, 양손을 쫙 벌려서
손톱으로 허공을 할퀴며 –

**서래**
제가 했어요……. 한국어를 영 못 알아듣길래.
**해준**
(소리)
자해를 했더니 알아듣던가요?
**서래**
마침내.

16) 기도수를 향한 해준의 분노가 부글부글.

**해준**
그랬더니 남편이 뭐라던가요?

C# 17

17) 15) 연결.

**서래**
(좀 생각해 보더니)
독한 것…….

C# 18

18) 16) 연결. 해준, 갸우뚱.

C# 19

19) 17) 연결.

**서래**
(왼손등의 상처를 가리키며)
도수 씨가 날 말리다가 이렇게…….

C# 20-1

20-1) 거울에 비친 두 사람. 해준, 상체를 조금 앞으로 내밀며 -

**해준**
그래서 기도수 씨 손톱에서 송서래 씨 디엔에이가 나왔단 말입니까?
(끄덕이는 서래를 보면서 끄덕이는 해준)
산이 그렇게 싫으세요?

후진하는 카메라, 실물 해준과 서래가 프레임인된다.
거울 속 서래와 실물 해준에게 초점. (VFX)
진저리치는 서래도 미세하게 몸을 내밀며, 전화기를
만지더니 빠르게 중국어를 한다.

孔子曾经说过"智者乐水, 仁者乐山"。
[kong zi ceng jing shuo guo
"zhi zhe yao shui, ren zhe yao shan"]
我不是仁者。
[wo bu shi ren zhe]
我喜欢海。
[wo xi huan hai]

당황하는 해준에게 전화기를 돌린다. 통역기 앱의 목소리 -

**남자 성우**
공사님 말씀에, 지혜로운 자는 물을 좋아하고 인자한 자는
산을 좋아한다고 했습니다.
난 인자한 사람이 아닙니다.
(해준의 '이 여자, 뭐지?' 표정)
난 바다가 좋아요.

해준이 저도 모르게 "어, 나도"라고 중얼거리자 -

**서래**
예?
**해준**
(당황해서 서둘러 책상 위에 놓인
수사 기록을 펼쳐 서래에게 보여 주며)
응급실 간 날짜들 맞죠?
이때도 산에 안 간다고 때리던가요?
**서래**
여섯 살 때 엄마가 집 나갔어요, 그래서…….
**해준**
그래서 거절을 당하면 여섯 살이 된다는 말인가요?
(서래, 끄덕)
그래서 불쌍했다는 겁니까?
**서래**
제 얘기 듣고 울어 준 단일한 한국 사람이에요.

C# 20-2

20-2)

**해준**
어떤 한국 사람이요?
**서래**
(말이 틀렸나 자신 없어하며 어색한 미소)
단일…… 한?
**해준**
(자기도 모르게 슬며시 웃으며)
아 -
(불안해하는 서래 표정을 보고 황급히)
아니요. 정확해요, 너무 정확해서…….
웃지 말아야 했는데, 미안합니다.
**서래**
나도 한국어 자신 없을 땐 웃어요.

C# 21

21) 서래, 처음으로 해준을 향해 미소를 보낸다.

C# 22

22) 서래 시점 - 해준, 잠시 눈이 부시다. 벌떡
일어서는 해준. 틸트업.

**해준**
저녁밥 시킬게요.

| 22 | D | S | 17:00 | setup 17 |
|---|---|---|---|---|
| | 신문실 - 서부경찰서 | | 서래의 사연을 듣는 해준 | |

**C# 23**

23) 고개 들어 해준을 향해 가로젓는 서래.

전화기 꺼내 드는 해준.

**해준**
제가 배고파서.

배달앱 찾으면서 프레임아웃하는 해준.

혼자 남은 서래, 고개 숙인다.

C# 1

1) 아주 두껍게 깎인 사과 껍질이 수북한 쟁반이 바닥에 놓여 있다.

C# 2

2) 할머니 허벅지에 놓인 접시에서 사과 한 조각을 가져다 맛있게 먹는 수완. 옆에 놓인 시루떡도 집어먹는다. 어느새 할머니와 친해졌다.

**수완**
서래가 뭐가 그렇게 좋아요? 이뻐서?

C# 3

3)
**할머니**
사과 껍질을 얇게 잘 깎지, 그리구 내 맘을 알지.
떡 먹구 싶은 거, 떡 먹을 땐 차 마시구 싶은 거, 옛날 얘기 좋아하는 거.
팔하고 어깨 주물러 주면 얼마나 잠 잘 오는데?
내가 금요일 밤부터 기도를 해,
빨리 월요일이 오게 해 주세요.
그러면 가끔씩 월요일이 일찍 오는 것 같고 그래.
시리야, 노래 틀어 줘. 정훈희의 안개.
(다시 한 번 스피커에서 음악이 나온다)
좋지? 서래가 넣어 줬어.

오늘 이 노래를 처음 듣는 사람 같다.

C# 4

4) 2) 연결. 수완, 잠시 갸우뚱지만 그저 이 노래를 참 좋아하시나 보다 생각하고 만다.

| 24 | N | S | 17:50 | setup 6 |
|---|---|---|---|---|
| | 신문실 - 서부경찰서 | | 고급 초밥 도시락 먹는 해준과 서래 | |

C# 1

1) 서래 시점 - 서래 도시락 빈칸에 간장을 부어 주는 해준.

C# 2

2) 서래 시점 - 상체를 앞으로 내밀고 간장 부어 준 해준, 앉는다.

묵묵히 먹기 시작한다.

C# 3-1

3-1) 실물과 거울상의 서래, 조심스레 하나 골라 입에 넣는다.

실물 서래로 초점 이동.

너무나 맛있다!

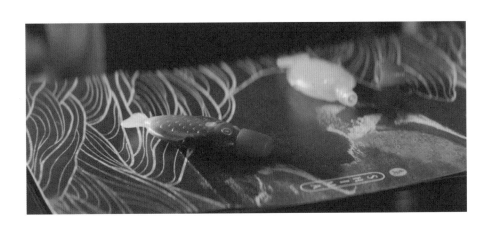

C# 3-2

3-2)  서래, 탁자에 놓인 종이 가방을 본다.

C# 4

4)  서래 시점 – 종이 가방에 인쇄된 식당 이름.

C# 5

5)  서래에게 무관심한 듯 맛을 음미하는 데 열중하는 해준.

C# 6

6)  해준이 가지런히 놓아둔 물고기 모양 간장 용기 두 개. 하나는 뜯지도 않았고, 하나는 간장이 다 빠져나갔다.

| 25 | N | S | 18:00 | setup 2 |
|----|---|---|-------|---------|
|    | 관찰실 - 서부경찰서 | | 고급 초밥 도시락 먹는 해준과 서래를 보고 배신감 느끼는 수완 | |

C# 1

1) 원웨이 글라스를 통해 신문실이 들여다보인다.

줌아웃하면, 지켜보는 미지가 프레임인된다.

C# 2

2) 수완이 아이스 아메리카노 커피 두 잔을 들고 들어온다. 커피 한 잔은 미지 주고 있는다.

**미지**
땡큐. 저녁 먹었어요?

고개 젓는 수완.

C# 3

3) 1) 연결. 서래가 코트 벗고 본격적으로 먹는다.

| 25 | N | S | 18:00 | setup 2 |
|---|---|---|---|---|
| | 관찰실 - 서부경찰서 | | 고급 초밥 도시락 먹는 해준과 서래를 보고 배신감 느끼는 수완 | |

**C# 4**

4) 2) 연결. 상체를 내밀고 도시락을 유심히 보는
수완, 배신감이 서서히 휩쓸고 지나간다.

**수완**
저거 '시마 스시' 모듬 초밥이야?!
저거 경비 처리 돼?

'전 모르죠……', 어깨 으쓱하는 미지.

**C# 5**

5) 3) 연결. "에이, 씨!" 하면서 도로 나가 버리는 수완.

| 26 | N | S | 18:20 | setup 2 |
|---|---|---|---|---|
| | 신문실 - 서부경찰서 | | 다 먹은 도시락을 정리하는 해준과 서래, 손발이 잘 맞는다 | |

C# 1

1) 복도에서 수완이 문 쾅 닫는 소리.
식사를 마친 해준과 서래, 착착 정리하는 네 개의 손.
플라스틱 제품을 모아 종이 가방에 넣는 해준, 종이를
모아 비닐봉지에 넣는 서래. 해준, 서래가 정리한
것들을 받아 합친다.

서래가 티슈를 뽑아 상을 닦으려고 하자 주머니에서
물티슈를 꺼내 자기가 닦는 해준.
둘은 손발이 잘 맞는다.

C# 2

2) 문을 등진 앵글. 해준, 프레임아웃하면서 -

> **해준**
> 따라오세요.

영문 모른 채 해준 따라 방을 나서려다 코트와
핸드백을 가져가야 되나 고민하는 서래. 복도에서
들리는 해준 음성.

> **해준**
> (소리)
> 다시 올 거예요.

'어떻게 알았지?' 표정. 핸드백만 들고 나가는 서래.

| 27 | N | S | 18:30 | setup 4 |
|---|---|---|---|---|
| | 강력팀 사무실 | | 서래에게 새 칫솔과 방수 밴드를 주는 해준 | |

C# 1

1) 책상 서랍을 여는 해준, 새 칫솔과 헌 칫솔, 치약을 꺼낸다.

C# 2

2) 해준의 방, 유리 칸막이 너머로 수완이 보인다. 해준, 새 칫솔을 서래에게 준다. 치약 뚜껑을 열고 서래를 본다. 서래가 포장 뜯은 칫솔을 내밀자 치약을 짜 주는 해준, 제 칫솔에도 짠 다음 잎징신다.

**해준**
여섯 시 오십 분까지 그 방으로 다시 오세요.
여자 화장실 저기예요.
(주머니에서 뭔가를 꺼내면서 돌아선다. 방수 밴드를
내민다. 서래의 상처 난 손 가리키며)
방수되는 거예요……. '방수'는 물에 닿아도
물 안 들어간다는 뜻이에요.
**서래**
간병인은 방수용품 많이 씁니다.

C# 3

3) 또 '아 그렇구나' 하는 해준.

| 27 | N | S | 18:30 | setup 4 |
|---|---|---|---|---|
| | 강력팀 사무실 | | 서래에게 새 칫솔과 방수 밴드를 주는 해준 | |

**C# 4**

4) 수완, '놀고들 있네⋯⋯' 표정.
해준과 서래 몸이 화면을 가로질러 간다.
노려보는 수완, 시선이 둘을 따라 움직인다.

수완, 커피의 얼음을 깨문다. 으드득.

| 28 | N | O | 18:40 | setup 6 |
|---|---|---|---|---|
| | 화장실 - 서부경찰서 | | 양치질하며 해준 생각하는 서래 | |

C# 1

1) 거울 앞에서 열심히 이 닦는 서래.
거울상은 몸에 가려 보이지 않는다.

C# 2

2) 디졸브. 서래의 이 생각, 저 생각. (VFX)

C# 3

3) 입안을 헹구는 서래, 손을 본다.

C# 4

4) 방수 밴드 꺼내 상처 부위에 조심스럽게 붙인다.

C# 5

5)  2) 연결. 서래, 갸웃하더니 향수를 꺼내 귀 뒤에
뿌리고는 밴드 위에도 살짝 뿌리고 가만 들여다본다,
정말 방수가 되나 시험해 보듯.

C# 6

6)  밴드 표면에 맺힌 향수의 방울.
서래가 입을 가까이 대고 후 불자 날아간다.

C# 7

7)  반지 자국이 난 손가락을 만지작거리는 서래.
(반지 끼는 행위는 안 보여 줌)

C# 1

1) 탁자를 짚는 서래의 반지 낀 손. 방수 밴드.

C# 2

2) 화면을 자세히 들여다보는 척하면서 허리를 굽혀 아이패드로 얼굴을 가리고 코를 벌름거리며 향수 냄새 맡는 해준, 돌아온 결혼반지를 본다.

C# 3

3) 거울을 등진 앵글. 허리를 펴는 해준.

**해준**
십오 년 팔 월 십칠 일, 해경이 평택항으로 들어오는
화물선에서 불법 입국하려던
중국인들을 적발했어요.
다른 서른일곱 명은 추방됐는데
송서래 씨만 여기 남았네요?
**서래**
전 다른 사람들하고 다르니까요.
(많이 해 본 말인 듯 유난히 또박또박)
제 외조부는 만주 조선해방군의 계봉석 씹니다.

C# 4

4) '무슨 소리지?' 미간을 찌푸리는 해준.

| 30 | N | S | 18:50 | setup 1 |
|----|---|---|-------|---------|
|    | 관찰실 - 서부경찰서 | | 원웨이 글라스 너머에서 서래의 이야기를 듣는 수완과 미지 | |

C# 1

1) 수완과 미지도 '뭔 소리?' 표정으로 마주 본다.
신문실에서 서래는 전화기를 꺼내고 있다.

**C# 1**

1) 스마트폰의 사진 보관함을 열어서 보여 주는 서래.

**C# 2**

2) 하나씩 보여 주는 서래, 들여다보는 해준. 둘이 점점 가까워진다. 카메라도 천천히 전진.

**서래**
알아준 기도수 씨 덕에 건국 훈장을 받으셨어요.

C# 3

3) 유해가 든 작은 항아리, 낡은 계급장, 선언서, 조직표, 일지 등의 사진들.

C# 4

4) 2) 연결. 어느새 꽤 가까워진 두 사람.

C# 5-1

5-1) 3) 연결. 훈장 수여식에서 대통령과 함께 찍힌 사진이 나오자 해준 손가락이 들어와 중앙 부분을 확대한다.

대통령 얼굴이 커진다.

| 31 | N | S | 18:52 | setup 5 |
|---|---|---|---|---|
| | 신문실 - 서부경찰서 | | 해준에게 외조부에 관해 얘기해 주는 서래 | |

C# 5-2

5-2) 해준, 옆으로 밀어 서래를 찾는다.

C# 6

6) 해준, 마주 앉은 사람과 비교해 보려고 눈을 든다.

C# 7

7) 해준 시점 - 서래와 눈이 마주친다. 전화기를 놓고 아까처럼 물러나 앉는 서래.

사진과 비교해서 확인해 보라는 듯 의젓하고 당당한 자세로 시선을 받는다.

C# 8-1

8-1) 6) 연결. 자기도 바로 앉으면서 서래를 보는 해준.

| 31 | N | S | 18:52 | setup 5 |
|----|---|---|-------|---------|
|    | 신문실 - 서부경찰서 | | 해준에게 외조부에 관해 얘기해 주는 서래 | |

C# 8-2

8-2)　주머니에서 휴대 전화 진동 울리자 꺼내서 슬쩍
보고 재빨리 전화 받으며 일어선다.

| 32 | N | S | 19:00 | setup 1 |
|----|---|---|-------|---------|
|    | 복도 - 서부경찰서 | | 피씨방 알바에게 연락 받고 서둘러 떠나는 해준 | |

C# 1

1) 신문실에서 나오는 해준, 관찰실에서 수완과 미지도 덩달아 나온다. 해준, 전화에 대고 -

**해준**
십 분 안에 갑니다.
(전화 끊고 수완에게)
이지구, 오빠피씨방.
(미지에게)
송서래 씨는 보내고…….

**C# 1**

1) 귀를 쫑긋 세우고 열린 문틈으로 들어오는 소리를 듣는 서래, 스마트폰으로 상호를 검색한다.

**해준**
(소리)
······보훈처에, 건국 훈장 애국장 받은
계봉석 씨 좀 알아봐 줘.

**C# 2**

2) 액정에 '오빠피씨방' 지도가 뜬다.

| 34 | N | S / L | 19:15 | setup 2 |
|---|---|---|---|---|
| | 서래 차 안 - 도로 | | 오빠피씨방을 향해 운전하는 서래 | |

C# 1

1) 차에 거치된 전화기.
내비게이션 너머로 밤거리.

C# 2

2) 밤거리를 운전하는 서래.

**미지**
(소리)
계봉석, 충북 단양 사람.

C# 1-1

1-1)  작전 개시 직전의 긴장. 권총을 꺼내 탄환이
들었는지 확인하는 수완을 빤히 보는 해준.

**수완**
안 써도 이럴 때 안심은 돼요.

해준, 말없이 이층을 올려다본다.
수완, 괜히 팀장님이 저를 한심하게 여기는 것 같은
기분을 안고 계단을 오른다.

스마트워치에 녹음하는 해준.

**해준**
오수완 경사가 피씨방으로 올라가고
장해준은 입구 봉쇄.

말을 마치기가 무섭게 이층 피씨방에서 우당탕 몸싸움
소리. 중간 계단층으로 올라가는 해준.

뛰어 내려오는 지구가 해준과 충돌한다.

한 손에만 수갑을 찬 채 뛰쳐나가는 지구를 따라
카메라 패닝.

| 35 | N | L | 19:30 | setup 1 |
|---|---|---|---|---|
| | 오빠피씨방 앞 | | 이지구와 맞닥뜨리는 해준과 수완, 추격전이 시작된다 | |

**C# 1-2**

1-2) 거리로 사라지는 지구.

다시 해준에게 패닝.

달려 내려오는 해준, 프레임아웃한다.

**미지**
(소리)
삼십 년대 중반 남만주 일대에서 활발하게 항일 무장
투쟁을 전개했던
조선해방군의 제삼 중대장으로서…….

C# 1

1) 서래의 차 조수석에서 본 모습.
'오빠피씨방' 건물에서 뛰어나오는 지구, 오른 손목에 수갑을 찬 채로 덜렁거리며 달아난다.

곧이어 해준도.

차 옆을 스쳐 가는 해준을 따라 패닝 -

해준을 급히 피하려고 움직이다 서래 차에 부딪히는 행인.

운전석에 앉은 서래가 프레임인된다.

여자 행인의 비명을 듣고 다시 앞을 보는 서래.

패닝 -

이번엔 권총을 든 수완이 달려온다. 서래 차 옆으로 프레임아웃.

**미지**
(소리)
······삼십사 년부터 육 년까지 이백여 차례의
크고 작은 군사 작전을 벌이며
남만주의 살쾡이라는 별명을 얻었다.
특히 삼십육 년 유월 팔 일······.

C# 1

1) 지구가 뛴다.

**미지**
(소리)
……중국 연변의 나자구에서 조선 회령으로
철수하는 일본군을 기습했을 때
연대장 하라 겐고의 목을 물어뜯어
처단한 일이 전설로 남았다.

C# 2

2) 뛰는 해준 너머로 지구.

C# 3

3) 뛰는 수완 너머로 해준과 지구.

C# 4-1

4-1) 카메라 쪽으로 달려오는 세 남자.

C# 4-2

4-2) 지구와 해준, 차례로 프레임아웃한다.

카메라 앞에 멈춰 서서 지구와 해준이 사라진 방향을 보는 수완, 질린 얼굴.

그 방향으로 패닝하면 –

지구와 해준이 높은 계단을 오르고 있다.

수완, 프레임인해서 계단을 오른다.

점점 느려지더니 결국 포기하고 대자로 누워 버리는 수완.

| 37 | N | L | 19:50 | setup 15 |
|----|---|---|-------|----------|
|    | 골목 | | 이지구를 추격하는 해준과 수완 | |

C# 5

5) 지쳤지만 열심히 도망가는 지구, 프레임아웃한다.

끈질기게 뒤쫓는 해준, 포기한 수완을 힐끔 돌아본다.

C# 6-1

6-1) 수완을 힐끔 돌아봤다가 계단 정상에 오르는 해준. 코너로 사라지는 지구를 뒤쫓는다.

지구를 따라 한적한 골목으로 프레임인하는 해준.

얼마 후 지구가 지쳐 길바닥에 엎어진다.

C# 6-2

6-2) 해준도 점차 속도를 줄이면서 다가간다.

C# 7

7) 허파가 터질 듯 숨을 몰아쉬면서 지구를
내려다보는 해준.

일어서면서 프레임인하는 지구, 칼을 꺼내자 물러서는
해준.

가까이 오지 말라고 칼을 휘둘러 대는 지구.
숨을 고르면서 주머니에서 장갑을 꺼내는 해준.

C# 8-1

8-1) 손바닥에 철사를 댄 정육점 장갑 한 짝을 왼손에
끼는 해준, 성큼성큼 다가간다. 마구잡이로 춤을 추는
지구의 칼날.

C# 8-2

C# 9

9) 철사 장갑으로 칼날을 잡는 해준.
비틀면서 쇳소리.

틸트업하면 지구 얼굴에 날아드는 해준의 주먹.

C# 10

10) 오른 주먹으로 지구 얼굴을 가격한다.
코피가 터진다. (VFX)

C# 11-1

11-1) 쓰러진 지구 몸에 올라타 앉는 해준, 제 손에
피가 나도 쉬지 않고 때린다. 침착하고 끈질기다.

**C# 11-2**

11-2) 상대 얼굴이 피투성이가 되도록 공격을 멈추지 않는다.

결국 칼을 놓는 지구.

지구가 이미 차고 있는 수갑의 한쪽을 마저 채우고서야 긴장을 푸는 해준.

골목 끝에 이쪽을 향해 서 있는 차를 발견한다.

**C# 12**

12) 해준, 운전석에 앉은 서래를 본다.

C# 13

13) 눈을 반짝이며 해준을 보는 서래.

C# 14

14) 해준, 놀랄 기운도 없다.

C# 15

15) 피 묻은 오른손을 슬쩍 등 뒤로 감추는 해준.

**C# 1**

1) 탁자에 올라앉은 수완, 전기 안마기로 지구 목울대를 누른다.

**수완**
자살 충동 있지?

**C# 2**

2)

**지구**
(안마기 진동 때문에 덜덜 떨리는 목소리로)
아닌데요?

**C# 3**

3) 1) 연결.

**수완**
경찰한테 칼부림하는 게 자살 행위 아니면 뭔데!

**C# 4**

4) 벌떡 일어서 의자와 테이블을 거칠게 차 버리는 수완. 서류들이 바닥에 흩어진다. 테이블이 없어지자 벌거벗겨진 기분이 드는 지구, 가랑이를 오므린다.

**C# 5-1**

5-1) 3) 연결.
난동 부린 다음 식식거리는 수완 뒤로 문이 열려 있다.
오른손에 붕대 감고 왼손에 커피잔 든 해준이 미간을
찌푸린 채 보고 있다.
뒤늦게 눈치 챈 수완, 당황한다.

C# 5-2

5-2) 수완, 얼른 테이블을 일으켜 제자리에 놓는다.

커피 내려놓는 해준. 수완이 얼른 가져다 놓은 의자에
앉는 해준, 지구에게 커피를 천천히 밀어 준다.
지구, 긴장.

해준이 턱짓하자 서류들 줍다 말고 나가는 수완.

해준, 지구를 지그시 본다.
지구, 커피를 꿀꺽.

**해준**
너 아니지?

C# 6

6) 놀라는 지구.

C# 7

7)

**해준**
싸워 보니까 넌 사람 못 죽이겠더라…….
범이, 산오가 죽였지?
돈은 둘이 나눠 갖고.

C# 8

8) 6) 연결. 표정이 일그러지는 지구, 서서히 얼굴이 달아오른다.
바닥에서 뭔가를 발견하고 유심히 본다.

C# 9

9) 바닥에 흩어진 종이 중에 산오의 사진.

C# 10

10) 8) 연결.

**지구**
산오 못 잡아요, 아저씨들은.

C# 11

11) 7) 연결.

**해준**
왜?

**C# 12**

12) 10) 연결.

**지구**
소년원 추억이 너~무 아름다워서요.
잡혀서 감옥 가느니 경찰 몇 죽이고 자살할 걸요?
개 자살 충동 있어요.

**C# 13**

13) 11) 연결.

| 39 | N | S | 22:00 | setup 4 |
|---|---|---|---|---|
| | 서래 아파트 | | 아이스크림 먹으며 해준을 떠올리는 서래 | |

C# 1

1) 식탁 의자에 앉아 아이스크림 먹는 서래, 해준이 지구를 무차별 구타하던 순간을 떠올린다.

**지구**
(소리)
소년원 추억이 너~무 아름다워서요.
잡혀서 감옥 가느니 경찰 몇 죽이고 자살할 걸요?
걔 자살 충동 있어요.

C# 2

2) 서래의 회상 – 지구를 구타하는 해준.

C# 3

3) 서래의 회상 – 서래와 눈 마주치는 해준.

C# 4

4) 아이스크림 먹는 서래.

C# 1

1) 담배 연기로 자욱한 흡연실.

C# 2

2) 수완, 담배를 뻑뻑 피운다. 실내가 안개 낀 것처럼 뿌옇다.

문 벌컥 열고 들어오는 해준. 의경 하나가 벌떡 일어나 거수경례하더니 불편한지 서둘러 담배 끄고 나간다.
밖에서 움직이는 자동차 불빛이 가끔 지나간다.
수완 담배 피우는 꼴도 보기 싫고 화도 나서 어금니 꽉 깨물고 말하는 해준.

**해준**
나하고 일하려면 가혹행위 안된다고 했어, 안 했어.
**수완**
(해준 손을 가리키며)
경찰이 다쳤잖아요, 경찰이!
**해준**
내가 때리다 다친 거라고 했잖아.
총 차고 다니면 뭐하냐, 숨차서 뛰지도 못하는데.

C# 3

3) 식식거리며 담배를 한 개비 더 불 붙여서 두 개를 뻑뻑 빨아 대는 수완.

C# 4

4) 2) 연결.

**해준**
그리고 용의자가 말하게 해야지
왜 니가 말을 다 하냐.
**수완**
용의자 말을 '너무' 들어 주시는 거 아니에요?
(뭔 소린가, 보는 해준)
송서래만 해도, 벌써 피의자 전환해서…….
**해준**
(말 끊으며 휴대 전화에
저장된 자료 사진들을 보여 준다)
일하는 경찰 미지가 씨씨티브이 찾아왔어. 송서래가
할머니 아파트 들어가는 모습, 나오는 모습.

해준, 갑자기 무슨 생각이 났는지 미지에게 전화
걸면서, 수완에게 -

**해준**
알리바이 입증된 거야.
(전화에 대고)
미지야, 니가 홍산오 여자 많다 그랬지?
……명단 뽑아, 사건 기간하고 특기사항……
현주소 다 추적해서 붙이고.
**수완**
(해준이 전화 끊기만 기다렸다가)
그렇게 예쁜 여자가 왜 그런 영감하고 결혼해서 한국에
살까 궁금하지도 않으세요?
**해준**
젊고 예쁘고 외국인이라서 피의자가 돼야 해?
**수완**
예쁜 건 인정하시는 거네요?
(한숨 쉬는 해준. 일어나는 수완)
역차별이라고요……. 여자 아니고 외국인 아니고 그냥
남자 한국인이었으면
팀장님, 가서 밤새 잠복하자고 하셨을 걸요?
집에는 곧바로 가는지,
누가 찾아오는 건 아닌지 본다고.
잠복이 취미잖아요, 예? 잔소리하고.

나가 버리는 수완.

| 40 | N | O | 22:15 | setup 4 |
|---|---|---|---|---|
| | 흡연실 - 서부경찰서 | | 수완의 가혹행위를 나무라는 해준, 상관의 태도에 이의를 제기하는 수완 | |

**C# 5**

5) 1) 연결. 수완이 흡연실을 나선다. 열린 문틈으로 담배 연기가 뭉게뭉게 흘러나온다.

**C# 6**

6) 혼자 남은 해준, 닫히는 유리문 너머로 보인다.

| 41 | N | S | 01:30 | setup 3 |
|----|---|---|-------|---------|
| | 서래 아파트 | | TV 사극 〈흰 꽃〉을 보며 대사 따라하는 서래, 그녀를 감시하는 해준 | |

**C# 1**

1) 식탁 위, 숟가락 꽂힌 아이스크림 통.
녹은 아이스크림이 통의 바닥 틈새로 흘러나와 식탁
가장자리로 뚝, 뚝 떨어진다.

아이스크림 방울을 따라 붐다운하는 카메라 –

식탁 아래 바닥에 던져진 양말, 그 너머로 치마,
스웨터…… 동선을 따라서 아무렇게나 벗어 놓은
옷가지들을 따라 초점 이동 –

마지막으로 TV와 소파에 앉은 서래까지.

**C# 2-1**

2-1) TV 화면 – 〈흰 꽃〉의 한 장면이 나오고 있다.
석양이 지는 강변. 류선생의 품에 안겨 죽어 가면서도
기백이 당당한 무녀.

(〈흰 꽃〉 C#1)

TV 화면 – 반면 류선생은 눈물이 줄줄.

(〈흰 꽃〉 C#2)

| 41 | N | S | 01:30 | setup 3 |
|---|---|---|---|---|
| | 서래 아파트 | | TV 사극 [흰 꽃]을 보며 대사 따라하는 서래, 그녀를 감시하는 해준 | |

C# 2-2

2-2)  TV 화면 – 무녀 얼굴에 떨어지는 류선생의 눈물.

**무녀**
죽음은 포기가 아닙니다, 선생님.
죽음은 용맹한 행동입니다.

(〈흰 꽃〉 C#3)

TV 화면 –

**류선생**
아니다, 소화야……. 아니야…….
진정 용맹한 행동은 사랑이야.

C# 3

3)  소파에 기대앉아 눈 감고 있는 서래의 얼굴에 번쩍이는 TV 불빛.
잠든 것 같았던 서래, 조용히 중얼거리며 대사를 따라한다.

**류선생/서래**
사랑은…… 그 외 다른 모든 것의 포기니라.

패닝/초점 이동 –

거실 창 너머 보이는, 아파트 맞은편 동.

옥상으로 줌인 – 쌍안경으로 이쪽을 보는 해준. (VFX)

| 42 | N | L | 01:30 | setup 1 |
|----|---|---|-------|---------|
|    | 옥상 - 서래 아파트 단지 | | 서래 집 앞에서 잠복근무 시작하는 해준 | |

**C# 1**

1) 서래를 감시하는 해준의 뒷모습. (VFX)
해준, 스마트워치에 녹음한다.

**해준**
공두 시 삼십 분.
아이스크림을 냉장고에 넣지도 않고
옷도 아무렇게나 벗어 던져 놓고
티브이 켜 놓은 채로 불편하게 잠.

| 43 | D | L | 06:10 | setup 7 |
|---|---|---|---|---|
| | 서래 아파트 앞 | | 길고양이 밥 주던 서래, 차에서 잠든 해준을 발견한다 | |

C# 1

1) 어두운 아파트 입구에서 나오는 서래, 자기 차로 가면서 프레임아웃한다.

C# 2

2) 서래 차 트렁크 클로즈업. 트렁크 문 열리고, 고양이 사료 꺼내는 서래.

C# 3

3) 화단에 놓인 길고양이 밥그릇 클로즈업. 사료가 채워진다.

C# 4-1

4-1) 사료 붓고 일어서는 서래, 제 차로 돌아간다. (화면 좌측에 있는 차가 서래 차)

| 43 | D | L | 06:10 | setup 7 |
|----|---|---|-------|---------|
|    | 서래 아파트 앞 | | 길고양이 밥 주던 서래, 차에서 잠든 해준을 발견한다 | |

C# 4-2

4-2) 주차장에 세워진 해준의 차를 발견하고 우뚝 선다. 몸을 낮춰 조심스럽게 다가가는 서래.

C# 5

5) 서래 시점 - 곤히 잠든 해준.

C# 6

6) 차 안을 들여다보던 서래, 전화기를 꺼내 사진 찍는다.

C# 7

7) 5) 연결. 플래시가 터지자 깨는 해준, 서래를 보고 화들짝 놀란다.

C# 8

8) 해준 시점 - 손바닥을 척 들어 보이는 서래.

**서래**
굿 모닝.

갈 길 가는 서래, 프레임아웃한다.

C# 1

1) 아침 인사 하는 해준을 쳐다보는 미지.

C# 2

2)

**수완**
왜 아침 인사를 하고 그러세요?
사람 당황스럽게시리.

수완을 지나쳐 제 방으로 들어가는 해준, 활기찬 걸음.
뒷걸음치며 등으로 문을 밀어 여는 해준.

**해준**
모처럼 잘 자서 그래, 잘 자서.

문틈으로, 의자에 앉는 해준을 향해 줌인.

| 45 | N | L | 19:20 | setup 1 |
|----|---|---|-------|---------|
|    | 옥상 - 서래 아파트 단지 | | 서래 집 앞에서 잠복근무하는 해준, 정안의 전화를 받는다 | |

**C# 1**

1) 씬44의 마지막 숏과 같은 사이즈/위치에 앉는 해준. 망원 렌즈 달린 카메라도 준비됐다.

진동하는 휴대 전화. 받는다.
작은 목소리로 -

**해준**

여보.

**정안**

(소리)

퇴근 중?

**해준**

응. 당신은 야간조?

**정안**

(소리)

응. 조심해서 가고.
오늘은 어제보다 더 잘 자야 돼!

**해준**

냉장고에서 잡채 꺼내서 뎁혀 먹어.

전화 끊고 카메라 드는 해준, 줌을 당겨 렌즈가 길어진다.

여자 비명이 들리자 놀라 밖을 내려다본다.

C# 1

1) 무언가를 내려다보는 아줌마1.

뒤에서 해준이 나타나 같은 곳을 내려다본다.

**아줌마1**
자꾸 먹이를 주니까
자꾸 뭘 잡아다 놓잖아.
(주머니에서 미니 맥라이트를 꺼내 비추는 해준.
질색하는 아줌마1, 해준을 빤히 보며)
누가 치워 이걸?

내 일인가? 당황한 해준을 두고 가 버리는 아줌마.

C# 2

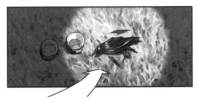

2) 해준 시점 - 화단 내 고양이 밥그릇(비었다)과 그
옆에 놓인 까마귀 사체 클로즈업.

핸드헬드. 앉는 해준 따라 내려가는 카메라.

해준 손 프레임인.
까마귀 주검에 가만히 손을 대 본다. 옆에 떨어진 깃털
두 개.

C# 3

3) 쪼그리고 앉은 해준.
멀리 뒤에서 주차장에 들어오는 서래 자동차의
헤드라이트.
돌아보는 해준, 급히 일어나 프레임아웃.

서래 차가 오면서 속도를 줄이더니 주차한다.

C# 4

4) 고양이 사료 봉지와 큰 생수병을 든 서래가
프레임에 들어와 아까 해준이 앉았던 자리에 와서
똑같이 쪼그려 앉는다.

아래를 보며 한숨짓는다.

C# 5

5) 서래 시점 - 까마귀. 플래시 조명이 없어서 해준의
시점 숏과는 달라 보인다.

| 47 | N | L | 19:40 | setup 6 |
|---|---|---|---|---|
| | 어린이 놀이터 - 서래 아파트 단지 | | 까마귀 사체 묻어 주는 서래를 지켜보는 해준 | |

C# 1

1) 해준 시점 - 축대 너머로 고개를 내밀듯이 카메라 전진하면 놀이터 모래밭에 쪼그리고 앉은 서래가 녹색 플라스틱 양동이로 구덩이를 판다.

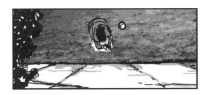

C# 2

2) 꽤 깊이 판 구덩이에 까마귀를 조심스레 넣고 손으로 모래 밀어 넣는 서래.

C# 3-1

3-1) 구덩이 덮는 서래.

줌아웃 -

C# 3-2

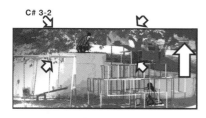

3-2)  축대 위에서 몰래 서래를 지켜보는 해준이 드러난다.

해준을 향해 붐업/줌인.

C# 4

4)  해준 시점 - 구덩이 덮는 서래.
고양이가 나타난다.
서래가 중국말로 무어라 말하기 시작하자 해준의 녹음 앱을 켠 휴대폰이 프레임인한다.

C# 5

5)  고양이가 서래 다리에 몸을 비빈다.

C# 6

6)  근경에 서래, 고양이에게 중국어로 무어라 말한다.

멀리 포커스 이동하면, 스마트폰으로 녹음하는 해준. 녹음이 제대로 안 될까 봐 전화 든 손을 살짝 내민다. 몸은 가려졌고 슬금슬금 팔만 뻗어 나온다, 붐마이크처럼.

C# 1

1) 까마귀 깃털을 만지작거리는 해준.

오른손 프레임인한다. 패닝.

해준, 스마트폰의 통역 앱을 작동시킨다.

C# 2

2) 해준, 아까 녹음한 서래의 말이 무슨 뜻인지 알아낸다.

**남자 성우**
(소리)
당신이 먹으려고 살상하는 건 내가 뭐라고 못하죠.
근데 말이야, 내가 밥 주니까 고맙다고
선물을 하는 거라면 그럼 됐어. 진짜로.
나에게 선물이 꼭 하고 싶다면
그 친절한 형사의 심장을 가져다 주세요.
난 좀 갖고 싶네.

왼쪽 가슴에 손을 얹는 해준, 심장이 찌르르.

**C# 1**

1) 거실 스탠드만 켜 놓은 어두운 실내. 소파에 앉은 서래.

**C# 2-1**

2-1) 해준의 카메라 시점 – 핸드헬드 카메라로 이리저리 패닝.

커피 테이블에 숟가락 꽂힌 아이스크림 통.

**해준**
(소리)
저녁은 또 아이스크림.
방문객을 기다리는 것 같지는 않다,
그녀가 범인이라면 단독범.
······그것도 식사라고······. 식후 흡연은 안 됩니다.

담배를 피워 물고 일어나는 서래 –

방에 들어가면서 시야에서 사라진다.

C# 2-2

2-2)　해준의 카메라 시점 - 커튼 드리워진 침실에
불이 켜지더니 이내 꺼진다.

빨간 보자기에 싼 유골함을 들고 나오는 서래, 커피
테이블에 내려놓고 소파에 앉는다.

팔짱 낀 팔로 무릎을 안는다. 머리를 무릎 사이에
묻는다. 자신을 진정시키듯 앞뒤로 몸을 흔든다.

C# 3-1

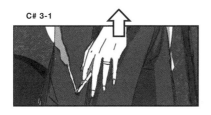

3-1)　손가락 사이에 낀 담배에서 연기가 모락모락.
결혼반지 보인다.

틸트 업/초점 이동해서 서래 얼굴.

카메라 후진하면 -

C# 3-2

3-2) 해준의 상상 속에서 - 서래 곁에 와 앉는 해준.

C# 4

4) 서래 너머 해준. 서래를 바라보며 스마트워치에 대고 -

**해준**
우는구나……. 마침내.

서래의 규칙적인 몸 움직임이 해준의 잠을 부른다.
눈꺼풀이 자꾸 내려온다.

C# 5

5) 차 안의 해준. 등받이를 뒤로 젖혀 기대 눕는다.

C# 6

6) 4) 연결. 해준, 머리를 뒤로 기댄다.

카메라 하강/줌인 -

팔 아래로 드러난 서래 얼굴을 우리만 본다. 반짝이는
눈, 은밀한 미소.

| 50 | D | S | 09:10 | setup 2 |
|---|---|---|---|---|
| | 강력팀 사무실 - 서부경찰서 | | 활기차게 출근하는 해준, 서장에게 구소산 사건 종결하고 질곡동 사건에 집중하라는 지시를 받는다 | |

**C# 1**

1) 활기차게 들어서는 해준, 또 잘 잔 모양이다.

손바닥 들고 "굿 모닝!"을 하려는데 미지가 눈치 준다.

**C# 2-1**

2-1) 해준 시점 - 눈치 주는 미지.

패닝하면 -

해준 방에 앉은 서장이 보인다.
책상에 발을 올리고 서류를 읽는다.
프레임인하는 해준, 걸어간다.
뒤따르는 카메라. 고개 드는 서장.

**서장**
구소산 변사 사건, 이걸 아직도 붙잡고 있어?
(일어서 다가온다)
빨리빨리 종결시키고 큰 껀으로
치고 나가란 말이야, 질곡동 사건 같은 거.
에이스는 에이스를 필요로 하는 일만
해야지……. 미사일로 파리 잡으면 돼, 안 돼?

| 50 | D | S | 09:10 | setup 2 |
|---|---|---|---|---|
| | 강력팀 사무실 - 서부경찰서 | | 활기차게 출근하는 해준, 서장에게 구소산 사건 종결하고 질곡동 사건에 집중하라는 지시를 받는다 | |

**C# 2-2**

2-2) 대답도 안 듣고 가 버린다.

들어가 문 닫는 해준.

유리창 너머로 보이는 해준을 향해 줌인 -

가만히 서서 분노 조절하는 듯.

그러나 잠시 후 재킷 호주머니에서 물티슈를 꺼내 서장 구두 굽 닿았던 책상의 한 부분을 닦는다.

| 51 | E | L | 17:45 | setup 7 |
|---|---|---|---|---|
| | 회의실 - 서부경찰서 | | 서래 관련 중국 공문서를 보이며 해준에게 항의하는 수완 | |

C# 1

1) 미지가 양손에 식판 하나씩 들고 섰고 해준이
물티슈로 두 사람 밥 먹을 자리를 닦고 있다.

C# 2

2) 해준 시점 - 식판. 생각에 잠겨 깨작깨작.

C# 3

3) 마주 앉아 밥 먹는 해준과 미지. 두 사람 전화기가
동시에 진동한다. 한 번 더, 역시 동시에.

**미지**
무슨 긴급 재난 문자냐고…….
(해준의 전화기를 넘겨다보며
제가 받은 문자와 비교한다.
똑같이 중국어로 된 공문서다)
중국 말 아세요?

C# 4

고개 젓는 해준. 인상 쓰면서 들여다보는 두 사람.

4) 액정 - 중국 공문서.

C# 5

5) 3) 연결. 곧이어 수완이 씩씩거리며 달려와 미지
옆에 앉는다. 각자의 전화기를 동시에 들어 보이며
이거 뭐냐고 묻는 시선을 보내는 해준과 미지.

| 51 | E | L | 17:45 | setup 7 |
|---|---|---|---|---|
| | 회의실 - 서부경찰서 | | 서래 관련 중국 공문서를 보이며 해준에게 항의하는 수완 | |

C# 6

6)

**수완**
구소산 사건 종결한다면서요?

C# 7

7)

**해준**
이 중국 문서, 뭐냐? 사서삼경이냐?

C# 8

8) 6) 연결.

**수완**
수사 안 끝났잖아요.

C# 9

9) 7) 연결.

**해준**
타살로 의심할 정황이 없는데?
난 이제 질곡동 범이 살인범 잡고 싶은데?
뭐냐고, 이거.

C# 10

10) 8) 연결.

**수완**
송서래, 조선족 아니구 걍 한족 중국인이구요
살인 용의잡니다.
중국 돌아가면 최소 무기징역이에요.

| 51 | E | L | 17:45 | setup 7 |
|---|---|---|---|---|
| | 회의실 - 서부경찰서 | | 서래 관련 중국 공문서를 보이며 해준에게 항의하는 수완 | |

C# 11

11) 9) 연결. 찡그리는 해준. 제 전화기도 켜는 수완.
셋이 각자의 전화기로 같은 파일을 본다.

C# 12

12) 10) 연결. 제 전화기로 시범하며 –

**수완**
넘기면 번역기 돌린 거 나와요.
간병인 소개소, 거기 조선족 간병인들 사이에서 송서래
관련 소문이 많더라구요?

'어서 나머지 이야기를 들려 줘' 반응을 기대하며 뜸을
들이는 수완. 그러나 –

C# 13

13) 11) 연결.

**해준**
너, 홍산오 여친 몇 명 만났어? 네 명 남았지?
이틀 안에 다 만나고 보고서 올려.

C# 14

14) 12) 연결. 어처구니없다는 듯 헉, 입을 벌리는
수완. 분위기 싸해지자 슬그머니 제 음식 들고 먼저
일어나는 미지.

C# 15

15) 수완이 딴 데 보는 틈을 타 휴대폰을 들어 중국
공문서를 슥 보는 해준.

| 52 | N | L | 19:00 | setup 19 |
|---|---|---|---|---|
| | 테라스 / 서재 - 정안 집 | | 중국 공문서를 서래에게 보내는 해준은 서래 집으로 초대되고, 정안은 도라지 말랭이 받으러 이 주임 집으로 간다 | |

C# 1

1) 파도 소리 들리는 가운데, 해준 시점 - 51씬 마지막 숏에 매칭되는 동작.

중국 공문서가 켜져 있는 휴대폰을 내려다보는 해준 -

더 자세히 보기 위해 휴대폰을 가로로 돌린 다음 손가락으로 벌려서 문서를 확대한다.

C# 2

2) 전화기 안에서 본 시점 숏처럼 - 이해 불가의 한자들과 관공서 도장의 붉은 인주 너머로 해준, 한숨만 난다. (VFX)

C# 3

3) 해준 너머 안개 탓에 바다는 안 보인다. 대신 오징어배와 등대의 불빛이 뿌옇게 보인다. (VFX)

실내로 들어가는 해준.

C# 4

4) 통창을 통해 침실로 들어오는 해준. 부부의 속옷들과 이불로 어지러운 침대 옆을 지나 프레임아웃한다.

C# 5

5) 진열장 위에 놓인 중학생 아들 장하주가 포함된 가족사진들, '사리 원자력발전소 발전2팀장 안정안' 이름으로 받은 표창장과 감사패 등이 보인다. 열린 서재 문 너머로 지나가는 해준, 다시 돌아와 방안을 들여다본다.

**해준**
그새 또 일이야?

C# 6

6) 컴퓨터 모니터 두 개와 아이패드 너머로 보이는 정안, 작업 중. 남편 파자마 상의에 아랫도리는 벗었다. 들어오는 해준.

의자 뒤에 서서 정안 어깨너머로 모니터를 본다.

C# 7

7) 해준 시점 - 뜻 모를 기호와 숫자로 가득한 컴퓨터 화면.

C# 8

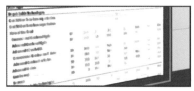

8) 해준 시점 - 뜻 모를 기호와 숫자로 가득한 듀얼 모니터.

C# 9

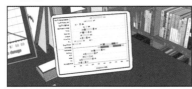

9) 해준 시점 - 뜻 모를 기호와 숫자로 가득한 컴퓨터 화면, 더 타이트한 사이즈.

**해준**
(소리)
이 세상에 이해되는 일이 하나도 없어, 하나도…….

C# 10

10) 해준 시점 - 뜻 모를 기호와 숫자로 가득한 아이패드.

C# 11

11) 6) 연결.

**정안**
후쿠시마 이후본 뭐 하나 확실한 게 없어.

정안, 보안경을 벗는다.

C# 12

12) 정안, 해준을 돌아보며 -

**정안**
추운데 밖에서 뭐 했어?

C# 13

13)

**해준**
안개 낀 바다가 좋다…… 는 생각.

C# 14

14) 해준, 양팔 뻗고 궁둥이를 씰룩이며 어설픈 춤 흉내.

**해준**
부산 가도 바다, 이포 와도 바다……
나는야 바다의 사나이…….

터프가이처럼 패딩 앞섶을 확 연다.
파자마 하의, 벗은 상체에 롱패딩을 걸친 상태.

**정안**
(다시 모니터 보면서 작업 시작)
바다 사나이 좋아하시네.
을지로가 고향인 주제에.
**해준**
후 - 담배 피고 싶다…….
**정안**
(양손으로 남편 얼굴을 붙잡고 걱정스럽게
들여다보며)
지금이야……. 더 늦기 전에 그 음탕한 생각을 잘라
내야 돼!
(전화하며 거실로 나간다)
도라지 말랭이 구해 올게,
당신 그거 씹으면서 끊었잖아.
(통화 상대에게)
이 주임? 혹시 도라지 말랭이 있어?
우리 남편이…….

소리 멀어진다.

해준, 전화 꺼낸다.

C# 15

15) 수완에게서 받은 중국어 문서들을 서래에게
보낸다.

C# 16

16) 초조하게 답장을 기다리다 한마디 메시지를
추가하는 해준.

한 번 생각하더니 -

C# 17

17) 물음표를 마침표로 바꾼다.

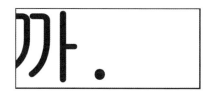

C# 18

18) 인서트. 서래 시점 - 조금 전 받은 중국어
공문서를 읽고 있는데 새 문자 도착.

C# 19

19) 인서트. '어떻게 생각하십니까.'
한동안 가만히 들여다보는 카메라.

C# 20

20) 16) 연결. 이윽고 서래가 보낸 문자메시지 도착 진동.

C# 21

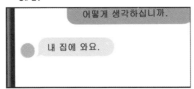

21) 해준 시점 - '내 집에 와요.'

C# 22

22) 전화기 안에서 본 시점 숏처럼 - '내 집에 와요.'라고 적힌 액정 유리 너머로 해준, 짜증나서(VFX) -

**해준**
아 - 증말…….

말은 그래도 설레는 표정이 섞였다.

C# 23-1

23-1) 계단을 내려다본 앵글.
청바지에 다리 끼우면서 프레임인하는 정안, 올려다보며 큰소리로 -

**정안**
이 주임네 좀 갔다 올게.

프레임인하는 해준 뒷모습. 내려가며 -

**해준**
나누 가 봐야 될 것 같애…….
질곡동 사건 때문에.
아, 짜증나네…….

| 52 | N | L | 19:00 | setup 19 |
|----|---|---|-------|----------|
| | 테라스 / 서재 - 정안 집 | | 중국 공문서를 서래에게 보내는 해준은 서래 집으로 초대되고,<br>정안은 도라지 말랭이 받으러 이 주임 집으로 간다 | |

**C# 23-2**

23-2) 해준이 시선을 외면하며 현관을 향해
프레임아웃한다.

C# 1

1) 안개를 헤치고 운전하는 해준, 화가 났다. 아내한테 거짓말을 해서, 안개 때문에 더 빨리 갈 수 없어서.

글러브박스에서 전기면도기를 꺼내는 해준, 턱을 민다. 정훈희 노래 「안개」가 흐르기 시작한다.

C# 2

2) 속도계 바늘이 올라간다.

C# 3

3) 빠르게 달리는 차, 프레임아웃.

C# 4

4) 안 보이던 앞차가 안개 속에서 갑자기 드러나는 바람에 핸들을 튼다.

C# 5

5) 급감속하며 차선 옮겨 추월.

C# 6

6) 4) 연결. 또 안개 속에서 갑자기 드러나는 다른 차.

C# 7

7) 깜짝 놀라는 해준, 급감속.

C# 8

8) 6) 연결. 앞차와의 간격이 적당해진다.

C# 9

9) 7) 연결. 답답한 마음의 해준, 엑셀을 밟는다.

C# 10

10) 해준 차가 카메라 쪽으로 달려온다.
방파제에 부딪치는 거친 파도.

틸트업 - 안개와 어둠 속에 희미하게 불빛을 발하는
원자력 발전소.

C# 11

11) 원자로 건물 외경.
발전기의 묵직하고 불길한 저음이 노래를 삼킨다.

C# 1

1) 원전에 디졸브되는 해준. (VFX)
현관 센서등이 껌뻑껌뻑하는 가운데 어색하게 선 해준,
얼굴에 억눌린 분노가 서렸다.

**해준**
왜 경찰을 집으로 오라마라 합니까?
**서래**
(소리)
어차피 자주 오시지 않습니까.

뜨끔하는 해준, 주방 앞까지 걸어와 멈춰 선다.
현관 센서등이 꺼진다.

서래가 차를 준비하는 소리가 들린다.
해준, 프레임 밖 서래를 본다.

C# 2

2) 이미 앉아 있는 서래 뒷모습.

**서래**
건너 건너 아는 스님이
한 잎 한 잎 따신 찹니다.
**해준**
제가 건너 건너 들은 소문에 대해 얘기해 보죠.
어머니를 죽이셨다고요?

C# 3

3) 찻잔에서 마지막 몇 방울이 똑똑 떨어진다.

| 55 | N | L | 20:30 | setup 5 |
|---|---|---|---|---|
| | 입원실 - 병원 - 중국 | | 투병하는 엄마를 간호하는 서래. 엄마는 자기를 죽이고 외할아버지 고향의 산으로 가라고 한다 | |

C# 1

1) 앞 씬 마지막 컷과 디졸브. (VFX)
잔에 떨어지는 차 방울.

C# 2

2) 서래 엄마의 링거, 약 방울이 똑똑 떨어진다.
윙윙거리는 기계음.

C# 3

3) 1) 연결. 찻숟갈로 차를 뜨는 서래의 손.

C# 4

4) (6인실 환자들의 신음, 기침소리.)
엄마 입에 차를 떠먹여 주는 서래, 엄마 입가에 흐르는
차를 닦아 준다.
서래 엄마, 듬성듬성 난 머리에 얼굴 반이 마비되었다.
그 옆 간이침대에 앉은 서래, 간호사복 위에 사복을
껴입었다. 두꺼운 책을 엄마에게 읽어 준다.

**서래**
(중국어로)
······다시 남쪽으로 삼백 리를 가면
호미산이라는 곳인데
이 산은 사람이 보지 않을 땐 걸어다니다가
사람이 알아채면 그대로 주저앉아
평범한 산이 된다.
······又南三百里曰鋤头之山。
[······you nan san bai li yue chu tou zhi shan ]
其趋人不备，多行走，
[qi chen ren bu bei,duo xing zou ]
而人若觉知，则就地而坐，成普通一山也。
[er ren ruo jue zhi, ze jiu di er zuo, cheng pu tong yi
shan ye.]

**C# 5**

5) 침대에 양팔을 괸 서래 손에 들린 책 클로즈업.
몇 십 년 묵은 낡은 종이에, 붓으로 직접 쓴 글씨.
세로로 적혔다. 제목 - 『山海經』과 '桂偉石'.

책을 내리는 손.

6) 서래 집 인서트 - 앞 숏과 동작 매치.
같은 책을 해준에게 밀어 주는 서래의 손.
배경에 보이는 녹색 표지 공책들.

**C# 6**

**서래**
(소리)
외할아버지가 중국의 산해경을 필사했는데
뒷부분은 자기가 막 지어냈어요.

7-1) 4) 연결. 엄마를 향해 접근하는 카메라.
힘들게 한마디 한마디 말하는 서래 엄마.

**서래 엄마**
(중국어로)
어차피 여러 세대에 걸쳐 조금씩 이어서 쓴 책에
한 명쯤 더 붙인들 뭐가 대수겠냐고 하셨어.
호미산은 한국에 네 외할아버지 고향의 산인데
그분 거야. 거기 가, 네 산에. 나부터 죽이고.

**C# 7-1**

姥爷说过，反正这书是好几代人一点接一点写出来的，
[lao ye shuo guo, fan zheng zhe shu shi hao ji dai
ren yi dian jie yi dian xie chu lai de ]
再多个人写，也没什么大不了。
[zai duo ge ren xie, ye mei shen me da bu liao ]
锄头山是你姥爷韩国老家的山，属于你姥爷的。
[chu tou shan shi ni lao ye han guo lao jia de shan,
shu yu ni lao ye de.]
去那儿吧，去你的锄头山。不过先杀了我。
[qu na er ba, qu ni de chu tou shan.
bu guo xian sha le wo.]

**서래**
(쓴웃음 지으며 중국어로)
엄마, 난 엄마를 전문적으로 돌보려고
간호사가 됐는데
엄마는, 간호사니까 전문적으로 죽여 달라고 하네?
妈，你知道我是想专业地照顾你才去当护士。
[ma, ni zhi dao wo shi xiang zhuan ye de zhao gu
ni cai qu dang hu shi ]
可你现在却说，就因为我是护士，
所以让我专业地把你给杀了？
[ke ni xian zai que shuo, jiu yin wei wo shi hu shi,
suo yi rang wo zhuan ye de ba ni gei sha le?]

**C# 7-2**

7-2) 엄마의 간절한 눈빛을 외면하는 서래, 다른
환자들이 잠들었기 때문에 소곤소곤 목소리를 낮춰
다시 읽는다.

**서래**
(중국어로)
이 산은 너무 조용해서 나무 자라는 소리가 들리는데,
사람이 이 나무들 사이로 들어가면 사라져서
다시 돌아오지 않는다.
其山极静谧, 可闻树木生长之音。
[qi shan ji jing mi,
ke wen shu mu sheng zhang zhi yin.]
人若入此树林之中, 即消失, 永不归来。
[ren ruo ru ci shu lin zhi zhong, ji xiao shi,
yong bu gui lai. ]

서래의 중국어 소리가 점점 줄어든다.

**서래**
(소리)
마침내 결심을 한 건,
엄마가 죽으려고 주사 바늘을 삼켰을 때.
그래서 원하던 방식으로 보내 드렸어요,
펜타닐 네 알이면 돼요. 나도 네 알 더 챙겼어요.

링거 바늘이 꽂힌 엄마의 팔목까지 접근하는 카메라.

| 56 | N | S | 21:40 | setup 13 |
|---|---|---|---|---|
| | 서래 아파트 | | 펜타닐에 관해, 기도수의 자살에 관해 이야기하는 서래 | |

C# 1

1) 고개 들어 해준 보는 서래.

**서래**
그러면 사라져서
다시 돌아오지 않을 수 있으니까.

C# 2

2) 식탁 가까이 오는 해준, 방금 서래가 한 말에는
관심 없는 양 계봉석 필사본 『산해경』을 펼쳐 본다.

C# 3

3) 해준 시점 - 『산해경』. 멋들어진 국한문 혼용체
세로쓰기.
그 아래 녹색 표지의 공책들도 펼치자 서래가 한글로만
정성껏 눌러쓴 가로쓰기 문장들이 나온다.

**서래**
(소리)
이걸로 한국말 공부 시작했어요.
나도 막 지어내고.

C# 4

4) 2) 연결. 고개 들어 서래 보는 해준.

**해준**
(싱긋 웃는 서래를 보면서
심장이 또 찌르르 하지만)
어디 됐어요, 펜타닐?

C# 5-1

5-1) 손으로 가리키는 서래.

C# 5-2

5-2)  초점 이동하면 소파 앞 커피 테이블, 빨간 보자기에 싼 항아리.

C# 6

6)  4) 연결. 서래가 일어서 거실로 간다.
그 틈에 두리번거리며 집안 냄새를 맡는 해준.
호기심 반, 어색함 반.

C# 7

7)  해준 시점 – 음반장 한 구석에 세워 둔 '카발란' 위스키 병을 본다.

C# 8

8)  해준 시점 – 화병에 꽃 대신 꽂힌 까치와 까마귀 깃털 서너 개도 보인다.

C# 9

9)  6) 연결. 서래, 쿠션을 들추더니 종이 뭉치를 꺼내와 식탁에 내려놓고 해준 옆에 선다.

**서래**
기도수 씨 자살이에요.

C# 10

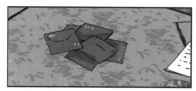

10) 해준 시점 - 하나같이 빨간 봉투, 그 안에 든 편지들을 꺼내는 해준. 흰 종이에 프린트한 문장들을 한 줄 한 줄 오려 빨간 편지지에 붙였다.

C# 11

11) 9) 연결. 집어 들어 읽는 해준.

C# 12

12) 해준 시점 - 협박 편지.

C# 13

13) 기도수가 뇌물을 받고 부적격자들의 귀화를 도왔다는 사실을 폭로하겠다는 내용.

C# 14

14) 이 사실이 알려지면 면접관으로서의 자격과 연금을 잃고 무엇보다 25년 근속한 공무원으로서의 명예도 잃으리라는 협박.

C# 15

15)

**해준**
송서래 씨는 얼마를 냈습니까?
산 좋아하는 기도수 씨한테
외할아버지 산을 준다고 했나요?
그나마도 산 소유권 재판에서 졌다면서요,
상속 여부가 불분명하다고.

C# 16

16)

**서래**
저는 당신들 누구보다도
이 땅에 살 자격이 있어요.

C# 17

17) 15) 연결.

**해준**
그 자랑스러운 외할아버지도
서래 씨하고 피가 섞이진 않았잖아요.

C# 18

18) 16) 연결.

**서래**

내 엄마의…….

흥분해서 무슨 말을 하려다 멈추는 서래, 통역기 앱을 켜더니 중국어로 빠르게 말한다. 스마트폰을 해준 쪽으로 돌려 주자 어색한 남자 성우 목소리가 통역해 준다.

**남자 성우**
(소리)
내 어머니의 친부모도 항일운동가였습니다.
그분들이 일본군에 의해 돌아가시자,
계봉석 씨가 내 어머니를 입양해서 키웠어요.
그런 사실이 핏줄보다 중요한 거 아니야?

我妈妈的亲生父母也都是抗日运动先烈。
[wo ma ma de qin sheng fu mu ye dou shi kang ri
yun dong xian lie. ]
他们被日本人杀害, 桂俸石外公领养了我妈妈,
并把她抚养长大。
[ta men bei ri ben ren sha hai, gui feng shi wai
gong ling yang le wo ma ma, bing ba ta fu yang
zhang da]
那样的事实不比血缘更重要吗?
[na yang de shi shi bu bi xue yuan geng zhong yao
ma?]

**C# 19**

**C# 20**

19) 17) 연결.

**해준**
좋아요…….
(고개만 끄덕거리면서 좀 머뭇거리다가
서둘러 아무 말이나)
기도수 씨는 사람 얼굴을 쏘아보면서
여권에 도장 찍어 주는 일을
이십 년 넘게 했죠, 무표정하게.
친구도 하나 없었고. 왜 그런 남자를…….

말을 맺을 틈도 안 주고 서래가 또 전화기에 대고
중국어를 시작하자 기다리는 해준.

20) 18) 연결. 중국말 하는 서래, 앱을 구동한다.

**남자 성우**
(소리)
나의 남편은, 한여름 배의 생선 창고에 갇힌 채
열흘 동안 떠돌았던 나의 모습을 보았습니다.
나는 해골 같은 얼굴에 똥이 묻고,
미친 사람처럼 몸을 앞뒤로 흔들었습니다.
(다음부터는 한 문장씩 말하고 통역시키는 서래)
그는 그 냄새도 맡았고 내 말을 경청했습니다.
그는 나를 믿었고,
우리는 그렇게 연결되어 있었다.
당신이 밤에 누구의 집을 들여다보는지,
당신의 아내는 아나요?

我丈夫见过三伏天被关在船底鱼舱、
[wo zhang fu jian guo san fu tian bei guan zai
chuan di yu cang]
在海上漂了整整十天的我。
[zai hai shang piao le zheng zheng shi tian de
wo]
他告诉我，我脸像骷髅，还粘着屎尿，
整个人神经兮兮地前后晃来晃去。
[ta gao su wo, wo lian xiang ku lou, hai zhan
zhe shi niao,
zheng ge ren shen jing xi xi de qian hou huang
lai huang qu.]

他闻过我那味道，耐心地听了我的故事。
[ta wen guo wo na wei dao, nai xin de ting le
wo de gu shi. ]
他信我，我们就那么走到了一块儿。
[ta xin wo, wo men jiu na me zou dao le yi kuai
er.]
你晚上盯着谁的家在看，您太太知道吗？
[ni wan shang ding zhe shei de jia zai kan, nin
tai tai zhi dao ma?]

C# 21

21) 상상선 넘어간 앵글.
서래, 중국어로 말한 다음 기다린다. 통역이
이루어지는 동안 꾹 다문 입.

**남자 성우**
(소리)
당신이 다른 사람을 땅바닥에 눌러서 주먹으로 열네 번
때리는 그 모습,
당신의 아내는 봤나요?
你把人摁地上揍十四拳那样子,
[ni ba ren en di shang zou shi si
quan na yang zi,]
您太太见过吗？
[nin tai tai jian guo ma?]

C# 22

22) 해준 입, 대답 못한다.

C# 1

1) 해준, 편지를 내려다보고 있다.

**국장**
(소리)
먼저 이런 폭로 편지들이 왔었고요…….

C# 2

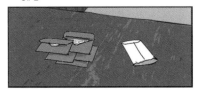

2) 해준 시점 - 긴 회의실 탁자 위에 놓인 빨간 봉투들(열린 흔적). 그 옆에 하늘색 봉투 하나(열린 흔적).

C# 3

3) 마주보는 해준과 심사국장. 해준 뒤로 벽에 걸린 역대 관공서장 초상화들이 보인다.

**국장**
(하늘색 봉투를 가리키며)
……그 다음엔 기도수 씨가 또 이런 걸…….

내용 일부를 읽는 국장.

**국장**
'부패 공무원이었다는 오명을 쓰고
살아갈 수는 없습니다.
어떤 대가를 치르든 조만간 결백을 입증하고
제 명예를 회복하겠습니다.'

국장, 해준에게 편지를 넘겨 준다.

C# 4

4) 편지 봉투 클로즈업.

| 57 | D | L | 10:00 | setup 4 |
|----|---|---|-------|---------|
| | 회의실 - 부산출입국·외국인청 | | 기도수 직장을 찾아가는 해준, 유서 같은 편지를 확인한다 | |

C# 5

5) 3) 연결.

**국장**
꼭 유서 같아서 불길하다고 생각했는데
사망 소식을 들었습니다.

C# 6

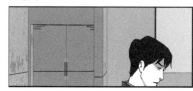

6) 1) 연결. 자살로 결론 날 것 같은 상황에 안도하는
해준.

C# 7

7) 5) 연결.

**국장**
경찰에 알려야 했는네……
고인의 명예를 생각해서 제가 차마……
사실 현직 계실 때 제 상사였어서……
(일어서 해준을 향해 허리 굽힌다)
죄송합니다.

덩달아 일어서는 해준, 허리 굽힌 채 고집스레 가만히
있는 국장.
해준, 엉거주춤 어쩔 줄 몰라 한다.

C# 1

1) 고기 굽는 연기 자욱한 회식 자리. 미지가 방에 들어온다.

부하들 테이블을 지나 서장과 팀장들 테이블로 온다.

줌아웃하면 –

해준이 프레임인된다. 미지가 비닐봉지를 내민다. 받아서 '카발란' 위스키 두 병과 힙 플라스크와 크레딧 카드와 영수증을 꺼내는 해준. 위스키 한 병은 미지에게 주는 해준.

**미지**
잘 먹겠습니다.

부하들에게 위스키 병을 보여 주는 미지, 환호하는 부하들.

수완 혼자 취해서 앉은 채 자다가 환호성에 깬다. '카발란'을 보자 비틀비틀 일어서 다가온다.

**C# 2**

2) 해준 바로 맞은편, 서장과 강력1팀장 사이에 비집고 앉는 수완. 서장과 1팀장, '이 자식, 또 시작이다……' 표정. 해준만 긴장한다. 연기 빼는 튜브가 얼굴을 가리니까 손으로 밀치고 –

**수완**
자살, 확신하세요?

**C# 3**

3) 수완을 무시하고 위스키를 힙 플라스크에 따르는 해준.

**C# 4**

4) 2) 연결.

**서장**
유서 나왔잖아.

수완은 서장을 무시하면서 해준에게 –

**수완**
형도요, 딴 짭새들하고 똑같아요.
**1팀장**
뭐가?

**C# 5**

5) 위스키를 힙 플라스크에 따르는 해준.

C# 6

6) 4) 연결. 일어서는 수완.

C# 7

7) 밥상을 넘어서 해준 곁으로 가는 수완. 발에 걸려 식탁 위 빈 소주병 몇 개가 쓰러진다.

C# 8

8) 해준의 작은 금속 깔때기를 빼앗아 제 입과 해준의 귀에 대고 속삭이는 수완.

카메라 호형 트래킹.

**수완**
물론 엄마를 죽인 게 남편 죽인 증거는 아니죠.
근데 형 이런 말 한 적 있잖아요.
살인은 흡연과 같아서…… 처음만 어렵다.

상대가 대꾸할 시간도 안 주고 비틀비틀 술집을 뜨는 수완.

| 59 | N | L | 21:00 | setup 2 |
|---|---|---|---|---|
| | 심야 영업 카페 | | 꾸벅꾸벅 조는 미지 옆에서 아이스크림 먹던 해준, 서래의 전화를 받는다 | |

**C# 1**

1) 아이스크림(서래의 아이스크림과 같은
브랜드이지만 더 작은 사이즈)과 커피가 놓인 테이블.

**C# 2**

2) 통유리창 밖에서 들여다본 모습.
미지와 마주 앉은 해준, 아이스크림 먹는다. 미지는
취해서 존다, 아이스크림 녹는 줄도 모르고.

전화가 울리자 받는 해준. 짧은 대화 끝에 전화 끊더니
낭패한 얼굴로 일어선다.

| 60 | N | S | 21:30 | setup 7 |
|---|---|---|---|---|
| | 서래 아파트 | | 서래 집에서 술 취한 수완을 보내고 집안 정리 해 주는 해준, 사건 종결을 알린다 | |

C# 1

1) 스탠드 램프가 쓰러져 있고 전구가 깨져서 유리 파편이 여기저기.

C# 2

2) 창 쪽에서 바라본 거실. 화나서 얼굴이 파래진 서래가 서 있다. 소파에 누운 수완은 아직 안 보인다. 거실에 들어서는 해준, 약간 비틀댄다. 부엌 의자는 모조리 쓰러졌고 스탠드도 넘어져 전구가 깨졌다. 바닥에 널린 집기들. (보이지 않는) 수완을 향해 가면서 황망하게 -

**해준**
미안합니다.
(수완을 깨우며)
가자.
(감정 섞인 손으로 탁탁탁 볼을 치며)
가자고, 새끼야!
**수완**
어, 형!
(해준이 거칠게 부축해 일으킨다.
일어나 앉으며 비로소 모습을 드러내는 수완,
실내를 둘러보더니)
왜 이래, 여기?
(질질 끌려가면서 서래에게)
우리 팀장님이요 이렇게 호구 같아 보여도
사실은 무서운 분이에요,
다음에는 서래님 꼭 잡으실 거예요.
다음 남편 죽일 땐 조심하세요.
(해준에게)
이 정도면 쉽게 말한 거 맞죠?
(밖에 나가서 소리만)
형…… 내가 진짜 존경하는데요,
딱 한 가지만 물어볼게요.
저 여자, 초밥 왜 사 준 거예요?
……아, 왜 때리는데!
형 따라서 씨발 부산까지 왔는데
나한테 왜 이러는데!

청소기 소리 선행.

173

C# 3

3) 2)와 같은 셋업. 디졸브.

마무리 단계로 청소기 돌리고 있는 해준, 입 꾹 다문 채 집안 정리해 준다.

맥없이 거실 바닥에 앉은 서래.

청소기를 끄자 주위가 너무 조용해서 해준 움직이는 소리가 유난히 크게 느껴진다.

거실 탁자를 제대로 세워 놓는 것을 끝으로 정리를 마친 해준 –

딱딱한 동작으로 자기 서류 가방에서 서류 봉투를 꺼내 그 탁자에 놓는다.

C# 4

4) 봉투를 거꾸로 해서 탁자에 내용물을 떨구는 서래의 손. 기도수의 유리 깨진 롤렉스 시계와 이어폰, 힙 플라스크, 스마트폰과 지갑 따위.

| 60 | N | S | 21:30 | setup 7 |
|---|---|---|---|---|
| | 서래 아파트 | | 서래 집에서 술 취한 수완을 보내고 집안 정리 해 주는 해준, 사건 종결을 알린다 | |

**C# 5**

5) 서래의 '그렇다면……?' 표정.

**해준**
사건 종결됐어요,
서래 씨는 더 이상 용의자가 아닙니다.
**서래**
기쁜가요?
**해준**
예? 제가 왜요?
(서래가 물끄러미 보자)
맞아요, 기뻐요.
**서래**
왜요?
**해준**
예? 뭐 그야 더 이상 우리가…….
**서래**
우리요?
**해준**
예?

**C# 6**

6) 서래 손목시계의 초침이 째깍째깍.

기도수의 롤렉스 시계로 디졸브된다. (VFX)

| 60 | N | S | 21:30 | setup 7 |
|---|---|---|---|---|
| | 서래 아파트 | | 서래 집에서 술 취한 수완을 보내고 집안 정리 해 주는 해준, 사건 종결을 알린다 | |

**C# 7**

7) 고장난 롤렉스 시계.

**C# 8**

8) 5) 연결.

**서래**
목 아파요, 앉아요.

고개 숙이는 서래.
해준, 얼떨결에 시키는 대로 하려다 말고 좀 생각해
보더니 소파에 벗어 둔 유틸리티 벨트를 차면서 –

**해준**
저녁 먹었어요?
**서래**
네.
**해준**
아이스크림?

**C# 9**

9) 해준 시점 - 서래, (올려다보지는 않으면서)
뜨끔해서 혀를 쏙.

C# 1

1) 해준 시점 - 계란을 나무 주걱으로 깨뜨려 넣는 해준의 손.

C# 2

2) 서래가 지켜보는 가운데 새우볶음밥을 만드는 해준.

**해준**

내가 할 줄 아는 '단일한' 중국 음식이에요.

눈 흘기는 서래, 몸 돌려 주방을 구경한다.

C# 3

3) 해준은 볶음밥 만들고, 서래는 냉장고와 그릇 선반을 열어 보며 구경한다.

거실로 오는 서래. 근경에 책상. 책상 옆에는 프린터. 책상 너머로 보이는 서래, 호기심 많아 책을 하나하나 살핀다.

C# 4-1

4-1) 서래 시점 - 책상 위 서류와 책들(마르틴 베크 전집도 있다), 아이패드, 헤드폰.

**C# 4-2**

4-2)  초보자를 위한 중국어 교재를 발견하고
어디까지 공부했나 살펴본다.

책갈피로 쓰이는 까마귀 깃털.

**C# 5**

5) 커튼이 드리워진 거실 벽을 마주한 앵글. 커튼도
살짝 들춰 보는 서래.
피투성이 사람 사진을 보고 놀라 중국어로
"깜짝이야!" 하더니 마음의 준비를 하고 활짝 연다.

吓死我啦！
[xia si wo la!]

**C# 6**

6)  2) 연결. 커튼 소리에 돌아봤다가 다시 뭘
내려다보는 해준.

**해준**
미결 사건들인데,
언제 떼야 할지 몰라서 그냥…….
'미결'은 아직 해결 못한 사건.

**C# 7**

7) '미결'이라고 소리 없이 뇌는 서래.

C# 8

8) 서래 시점 – 코르크 벽 가득 붙은 현장과 부검실 사진들을 훑어보는 핸드헬드 카메라.

그중 하나에 주목, 전에 본 눈동자 사진이다.

C# 9

9) 6) 연결. 사진 보면서 묻는 서래.

**서래**
개미가 사람 먹어요?
**해준**
어, 그건 이제 떼야 하는데.
(서래 봤다가 워 봤다가, 볶음밥을 뒤적이며)
맨 먼저 금파리가 나타나요.
낮이건 밤이건 십 분 안에 도착해요.

C# 10

10) 워 클로즈업.

**해준**
(소리)
피하고 분비물을 먹은 다음에
상처나 인체의 모든 구멍에 알을 낳아요.

C# 11

11) 7) 연결. 이야기 듣는 서래.

**해준**
(소리)
거기서 구더기가 나오면
그걸 먹으려고 개미가 모여요.

**C# 12**

12) 흘낏 서래를 돌아보는 해준의 눈 클로즈업.

**해준**
(소리)
또 그 다음엔 딱정벌레하고 말벌도.

**C# 13**

13) 서래의 입 클로즈업.

**해준**
(소리)
그것들이 사람을 나눠 먹습니다.

**C# 14-1**

14-1) 수완이 정상에서 찍은 사진들을 이어 붙인 360도 파노라마 사진도 있다.

커튼을 끝까지 여는 서래 손 프레임인.

커튼에 가려졌던 사진들이 드러난다.

파노라마 사진 끝에 쪼그리고 앉아 도수의 배낭을 뒤지는 해준의 비스듬한 뒷모습을 향해 줌인 -

카메라 패닝해서 -

| 61 | N | L | 23:00 | setup 20 |
|---|---|---|---|---|
| | 해준 집 | | 서래에게 볶음밥 해 주는 해준. 홍산오 사건에 대해 얘기하는 두 사람 | |

C# 14-2

14-2) 열심히 요리하는 해준.

패닝 더 해서 해준 보고 있는 서래까지.

C# 15-1

15-1) 열기 때문에 땀을 뻘뻘 흘리는 해준.

해준 옆으로 걸어오는 서래.

서래, 볶음밥을 한 숟갈 입에 넣는다. 오물오물 씹는 동안 초조하게 칭찬 기다리는 해준.

**서래**
이게 중국식이라고요?
(실망하는 해준)
맛은 좋습니다.

안도하는 해준, 밥을 접시에 담는다. 벽으로 다시 가는 서래 뒷모습.

책상 램프를 켜는 서래.

**서래**
그래서 못 자는 거예요.

**C# 15-2**

15-2) 서래, 벽을 향해 램프 머리를 돌린다.

**해준**
예?

**C# 16**

16) 5) 연결. 좌우로 젖혀진 커튼도 있겠다, 사진들이 빛을 받으니 마치 극장에서 스크린을 보는 것 같다.

**C# 17**

17) 책상 앞에서 벽 앞으로 다가오는 서래.

**서래**
피 흘리는 사진들이 막 비명을 지르니까.

서래 뒤로 프레임인하는 해준. 볶음밥 한 접시를 벽 앞의 책상에 차려 놓고 서래 곁으로 오는 해준, 사진 하나를 가리키며 -

**해준**
범이는 죽은 지 한 달 만에
산에서 발견됐어요.

**C# 18**

18) 해준 시점 - 흙 속에 뒹구는 해골 사진.

**C# 19**

19) 해준 시점 - 도끼를 찍은 사진.

**해준**
(소리)
옆에는 자기 머리를 박살 낸 손도끼가 있었고
갖고 있던 이백만 원은 사라졌어요.

C# 20

20) 볶음밥.

**서래**
(소리. 중국어로)
불쌍해라!
太可怜了！
[tai ke lian le!]

C# 21

21) 17) 연결. 안타까워 어쩔 줄 몰라 하면서 사진을
더 자세히 보려고 가까이 오는 서래.

서래의 머리카락이 해준 볼에 스친다.
놀라며 물러나는 해준.

서운한 표정으로 보는 서래. 멋쩍어지니까 얼청이 수술
흉터를 가진 남자의 사진을 짚으며 -

**해준**
홍산오, 범인이 확실한데 못 찾고 있어요…….
틈만 나면 얘를 들여다보죠.
전 여친 열 몇 명을
거의 다 인터뷰하고 나니까
이젠 이놈하고 친해진 기분이에요.

C# 22

22) 시간 경과.
서래 시점 – 서류에 붙은 홍산오 사진 클로즈업.

23-1) 책상에 앉아 수사 서류 들여다보며 밥 먹는
서래.
**서래**
감옥 간 적 있는데요?

바퀴 달린 회전의자에 앉은 해준, 서래와 벽을 번갈아
본다.

C# 23-1

**해준**
산오요? 예, 한 번. 한 달밖에 안 살았죠.
지 여자가 딴 남자 만난다고 오해해서
그 남자를 때렸어요.
**서래**
죽음보다 감옥을 더 무서워하는데?

183

C# 23-2

23-2)

**해준**
(벽 보고)
그러게……. 그런 놈이 감옥 갈 거
각오하고 사람을 때렸네……?
**서래**
죽을 만큼 좋아한 여자네?

C# 24

24) 해준, 잠시 꼼짝도 않다가 돌아본다. 굳은 표정.

몸을 돌려 의자에 앉은 채 발을 굴러 서래를 향해
프레임아웃.

C# 25

25) 해준 시점 - 전 여자 친구들 명단에서 '오가인'이란
이름이 보인다.
서류에 붙은 '오가인' 사진도 보인다.

26) 23) 연결. 머릿속에 떠오르는 질문들을
혼잣말처럼 중얼거리는 해준.

**해준**
죽기보다 감옥을 무서워하는 놈이 살인을?
이백만 원 때문에?
지구하고 나눠 가졌으니까 백만 원인데?
이 오가인, 먼 데 사는데?
경기도서 미용실 하는데? 게다가 결혼도 했는데?
**서래**
한국에서는 좋아하는 사람이 결혼했다고
좋아하기를 중단합니까?

C# 26

| 61 | N | L | 23:00 | setup 20 |
|---|---|---|---|---|
| | 해준 집 | | 서래에게 볶음밥 해 주는 해준. 홍산오 사건에 대해 얘기하는 두 사람 | |

C# 27

27) 서래 시점 - 서래를 잠시 보다가 의자를 돌리는 해준.

그 뒤통수를 물끄러미 지켜보는 카메라.

포효하는 엔진 소리 선행.

| 62 | D | L | 13:00 | setup 5 |
|---|---|---|---|---|
| | 미용실 - 경기 | | 해준의 실루엣을 보고 가위를 집어 드는 홍산오 | |

C# 1

1) 윙윙거리며 파리들이 날아다닌다. 눕다시피 길게
앉은 남자의 하반신이 근경에. 누가 밖에서 열쇠로
잠금을 푼다.

길로 난 문이 열린다. 양복 입은 남자 홍산오가
들어온다. 문을 살짝 열고 틈으로 밖을 살핀다.
안절부절, 긴장한 기색. 안에서 문 잠그고 초조하게
서성대다가 미용 의자에 앉아 빙글빙글 돌면서
생각한다.

C# 2-1

2-1) 산오와 함께 빙그르 도는 카메라.
(카메라 거울반사 VFX)

**산오**
아, 어떡해……. 어떡할까?

길게 앉은 남자의 시체를 훑고 지나간다.

**C# 2-2**

2-2) 밖에서 누가 문을 흔드는 소리에 회전을 멈추고 일어서는 산오, 가위를 집어 들고 프레임아웃.

문 열려고 노력하는 해준의 실루엣.

**C# 3**

3) 시신의 뺨에 딱정벌레 몇 마리.

**C# 4**

4) 개미의 행렬이 의자 팔걸이를 타고 올라간다.

| 62 | D | L | 13:00 | setup 5 |
|---|---|---|---|---|
| | 미용실 - 경기 | | 해준의 실루엣을 보고 가위를 집어 드는 홍산오 | |

**C# 5**

5) 고개를 뒤로 젖히고 입을 벌린 시신, 부패가
상당하다. 아직도 결심 못 하고 우왕좌왕하는 산오.

| 63 | D | L | 13:02 | setup 2 |
|---|---|---|---|---|
| | 미용실 뒷골목 | | 뒷문 지키던 수완이 산오의 칼에 찔리고, 해준은 산오를 추격한다 | |

C# 1-1

1-1) 뒷문 지키는 수완, 탄창을 돌려 공포탄에서
실탄으로 바꾼다.

문이 벌컥 열리면서 튀어나오는 산오와 수완이
부딪힌다.

몸싸움하는 수완과 산오.

수완, 산오에게 권총을 겨누려는데 산오가 가위로
수완의 허벅지를 찌르고 낮은 담장 위로 달아난다.
딛고 올라간 상자 더미를 걷어차 무너뜨린다.

나타나는 해준, 수완에게 달려가 상태를 확인한다.

수완이 바닥에 뒹굴면서 손가락질한다. 해준도 그쪽을
본다.

서둘러 담장을 돌아가는 해준 따라 우향 트래킹.

| 63 | D | L | 13:02 | setup 2 |
|---|---|---|---|---|
| | 미용실 뒷골목 | | 뒷문 지키던 수완이 산오의 칼에 찔리고, 해준은 산오를 추격한다 | |

C# 1-2

1-2)  해준 어깨너머로 멀리 보이는 산오, 담을 넘어
낮은 주택의 지붕으로 올라간다.

수완이 담장 아래에서 이를 악물고 권총을 던져 주며 –

**수완**
탄 돌려 넣었어요.

권총을 받아 뒤쫓는 해준.

C# 2

2)  카메라 옆으로 달려 나가는 해준 뒤로 젊은 여자가
나타난다.

여자에게 줌인 –

오가인이다.

| 64 | D | L | 13:10 | setup 13 |
|----|---|---|-------|----------|
|    | 연립주택 | | 옥상에서 대치하는 해준과 산오 | |

C# 1

1) 지상에서부터 산오 뒤를 따르는 스테디캠.

비상계단을 오른다.

막다른 길에 다다르자 두리번거리는 산오 -

오던 길로 되돌아가 배수관을 타고 위로 올라간다.

C# 2

2) 옥상으로 올라가는 산오.
달려오는 해준.

C# 3-1

3-1) 뛰어내릴 곳을 찾아 아래층 옥상으로 달리는 산오를 따라 트래킹하는 카메라.

건물 끝에 다다르고 내려다보지만 너무 높다.

줌아웃 –

왔던 길로 되돌아 달리는 산오.

옥상 윗층으로 달려가는 산오를 따라 트래킹하는 카메라.

배수관을 타고 옥상으로 올라오는 해준이 프레임인한다.

계속 트래킹하면서 줌아웃 –

| 64 | D | L | 13:10 | setup 13 |
|---|---|---|---|---|
| | 연립주택 | | 옥상에서 대치하는 해준과 산오 | |

**C# 3-2**

3-2) 옥상 제일 꼭대기칸에 도달하는 산오.

**C# 4-1**

4-1) 옥상 가장자리로 가는 산오를 따라 움직이는 카메라.

카메라 틸트다운/패닝 - 산오 너머로 내려다보이는 지상층.

물러나는 카메라.

| 64 | D | L | 13:10 | setup 13 |
|---|---|---|---|---|
| | 연립주택 | | 옥상에서 대치하는 해준과 산오 | |

C# 4-2

4-2) 몸을 돌리는 산오, 어쩌면 좋을지
우왕좌왕하다가 해준을 발견한다.

산오의 시선을 따라 패닝 –

꼭대기층으로 올라오는 해준이 보인다.
산오, 다시 프레임인한다.

총을 겨누는 해준.

C# 5

5) 해준을 노려보는 산오.

C# 6

6) 피 묻은 가위를 든 산오의 손, 신경질적으로 가위를
오므렸다 폈다 한다.

| 64 | D | L | 13:10 | setup 13 |
|---|---|---|---|---|
| | 연립주택 | | 옥상에서 대치하는 해준과 산오 | |

C# 7

7) 해준 손에는 수완의 피가 묻은 권총.

**해준**
너…… 돈 때문에 범이 죽인 거 아니지, 그치?

줌아웃/호형 트래킹.

**해준**
내가 다 알아보고 왔어.
너 한 달 감옥 살 때
범이 오가인을 건드렸어, 맞지?

해준, 침착해지려 침 삼킨다.
총은 내리고 평소와는 다른 말투와 표정으로 설득력
있어 보이기 위해 애쓴다.

**해준**
니 맘 완전히 이해한다.
나도 좋아하는 여자 있거든,
근데 그 남편이 이 여자를 때려.
나, 그 새끼 죽이고 싶어서 미치겠다.

C# 8

8) 5) 연결.

**산오**
(눈물 글썽)
여자들은 왜 그런 쓰레기 같은 새끼들하고 자요?
나도 쓰레기지만.

9) 7) 연결.

C# 9

**해준**
그러니까! 아니, 니가 왜 쓰레기야…….
넌 가인이 진짜 사랑하잖아!
너 가인이 때문에 다 포기한 거 아냐, 씨발…….
인생에 중요한 거 다 포기했잖…….

진정으로 상대를 이해하는 사람처럼 말하는 중에 슥
손을 올려 무슨 인사라도 하듯 총 한 발 쏘는 해준.

196

| 64 | D | L | 13:10 | setup 13 |
|---|---|---|---|---|
| | 연립주택 | | 옥상에서 대치하는 해준과 산오 | |

C# 10

10) 왼무릎에서 피가 튀면서 주저앉는 산오.

그러나 예상이라도 한 것처럼 재빨리, 좁게 벌린 가위 끝을 목의 경동맥 부위에 갖다 댄다.

C# 11

11) 쏘자마자 덤벼들려던 해준은 멈출 수밖에 없다. 이제 오히려 당황한 쪽은 해준이다.

**해준**
산오야⋯⋯. 일단 내려가자⋯⋯가서 형하고⋯⋯.
**산오**
아, 됐고⋯⋯ 가인이한테,
너 땜에 고생깨나 했지만 너 아니었으면 내 인생
공허했다, 요렇게 좀 전해 주세요.

C# 12

12)

**산오**
(여자 비명에, 잠깐 고개 돌려 지상을
내려다보며)
안 전해 주셔도 되겠네.

**C# 13**

13) 10) 연결.

오른다리에 힘을 주고 벌떡 일어서는 산오.

**C# 14**

14) 마치 산오의 경동맥 시점인 듯 가위가 다가온다.

**C# 15**

15) 해준의 눈동자가 튀어나올 듯 부풀어 오른다.

**C# 16**

16) 인서트 - 서래의 가위가 반창고를 자른다.
가위 오므리는 쇳소리가 과장되게 울린다

| 64 | D | L | 13:10 | setup 13 |
|---|---|---|---|---|
| | 연립주택 | | 옥상에서 대치하는 해준과 산오 | |

**C# 17**

17) 12) 연결. 있어야 할 자리에 산오가 없다.

**C# 18**

18) 11) 연결. 있어야 할 자리에 산오가 없다.

C# 1

1) 가윗날에서 반창고를 떼어 내는 서래, 할머니 팔뚝의 주사 놓은 자리에 거즈를 붙인다.

C# 2

2) 작은 금붕어 어항을 머리에 인 구식 브라운관 TV로 뉴스를 보는 할머니.
자개장 거울에 비친 TV.

**아나운서**
홍산오는 사귀던 여성 오 모 씨가 결혼하면서
연락을 끊자 이 년간 집요하게 수소문한 끝에
기어코 찾아내 그 남편을 살해한 후
오 모 씨와 동거 생활을 해 온 것으로 확인됐습니다.

할머니가 혀를 차자 초점 이동.
서래, 쓴웃음 지으며 –

**서 래**
사랑은 용맹한 행동이야.

끄덕이며 자기 말을 음미하는 서래, 덩달아 웃으며
끄덕이는 할머니.

**아나운서**
부산시경 강력팀에 쫓기던 홍산오는
오늘 오후 한 시 십 분경 경찰과 대치 중에
가위로 자기 목을…….

어디에 생각이 미쳤는지 웃기를 멈추고 생각하는 서래.
할머니도 그만 웃는다.

**C# 1**

1) 거대한 주차장 너머로 보이는 휴게소.

**C# 2**

2) 하행선의 사람 별로 없는 식당.

**정안**
(소리)
⋯⋯괜찮아? 못 볼 꼴 봤잖아,
심리 상담이라도 받아 봐야 하는 거 아냐?

**C# 3**

3) 맛없는 커피 마시면서 블루투스 이어폰으로
통화하는 해준.

**정안**
(소리)
그런 사람을 바로 또 운전해서 집에 가라고 하고, 무슨
직장이 그래?
내가 부산 갈까?
**해준**
아냐 아냐, 올 필요 없어.
나 안 우울해⋯⋯.
(일어서자 의자 밀리는 소리)
인제 화장실 가야겠다, 끊어.

전화 끊고 도로 앉는 해준.

C# 4

4) 해준 시점 - 어떤 남자가 냉면 먹는다.
입 가득 문 면다발에 가위를 갖다 댄다.

C# 5

5) 가위가 면을 자른다.

| 67 | D | L | 13:15 | setup 4 |
|---|---|---|---|---|
| | 연립주택 옥상 / 지상 | | 플래시백 - 죽은 홍산오와 옆에 앉은 오가인을 내려다보는 해준 | |

C# 1

1) 가위를 쥔 채 땅바닥에 누워 경련하는 산오.
손을 따라 얼굴을 향해 움직이던 카메라 -

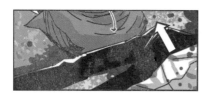

뛰어와 앉는 오가인이 프레임인되자 그녀의 얼굴로.

오가인, 제 허벅지 위에 산오의 머리를 놓으며
올려다본다.

C# 2

2) 오가인 시점 - 마비된 듯 고정된 해준, 산오와
가인을 내려다본다.

C# 3

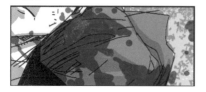

3) 오가인의 치마에 피가 빠르게 번진다.
산오의 얼굴 일부가 보인다.

| 67 | D | L | 13:15 | setup 4 |
|---|---|---|---|---|
| | 연립주택 옥상 / 지상 | | 플래시백 - 죽은 홍산오와 옆에 앉은 오가인을 내려다보는 해준 | |

C# 4

4) 2) 연결. 차마 더 보지 못하고 고개 들어 하늘 보는 해준.

C# 5

5) 허공을 향한 홍산오의 두 눈.
초인종 소리 선행.

C# 1-1

1-1) 해준 뒷모습, 초인종 소리에 놀라 현관 쪽을
돌아본다.

**해준**
누구세요?

해준, 현관을 향해 가면서 프레임아웃.

**해준**
(소리)
당신?

뒤로 초점 이동하면 벽, 홍산오 사건 관련 사진들.
문 여는 소리 듣고 트래킹하는 카메라 –

해준 뒷모습이 다시 프레임인된다.
어깨 너머로 보이는 서래, 열린 문 밖에 섰다.

**해준**
무슨 일입니까?

서래, 허락도 안 받고 멋대로 들어오며 –

**서래**
재워 주려요.

서래, 프레임아웃.

돌아보는 해준, 두 발 앞으로 다가오며 화면 밖 서래를
향해 –

**해준**
내가 독거노인입니까?
팔하고 어깨 주물러 주게요?
뭐하는 거예요?

반대 방향으로 트래킹.

C# 1-2

1-2)  사진 벽에서 홍산오 사건 사진들을 떼어 내는 서래.

**서래**
해결되면 뗀다면서요.

부엌으로 가져가는 서래, 프레임아웃한다.

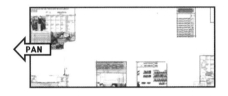

벽에 홍산오 사건 사진들이 없어졌다.

부엌으로 패닝하는 카메라.

해준, 프레임인된다.

서래, 사진들을 가스 오븐에 넣고 망설임 없이 불을 켠다.

다시 벽으로 오는 서래, 해준을 지나치며 -

**서래**
제 남편도 태우겠습니다.

서래 먼저 프레임아웃한다.

서래 쪽으로 가는 해준 따라 패닝하는 카메라, 2-숏 만든다.

서래, 사진들을 떼다가 자기 모습을 발견하고 자세히 본다. 월요일 할머니 간병 모습, 아파트 현관 들어가고 나가는 순간들, 신문실에서 찍은 허벅지 상처, (서래 모르게 찍은) 양손을 쫙 벌려서 허공을 손톱으로 할퀴는 모습, 시체 안치실에서 찍은 반창고 붙인 손.

서래에게 몸 붙이고 같이 들여다보는 해준. 망원렌즈로 찍은 서래 집, 어둠 속 자기 옆모습 실루엣을 가리키는 서래.

C# 2

2) 서래 시점 - 벽에 붙은 자기 사진들.

그중 하나를 뗀다.

C# 3

3)

**서래**
이거 뭐 컴컴만 하고.
**해준**
그래도 예뻤어요.

빼앗으려고 사진의 한쪽 끝을 붙잡는 해준. 안 놓아 주고 버티는 서래.

C# 4

4) 서래 손, 결혼반지는 다시 없어졌다. (반지 자국)

C# 5

5)
**서래**
어떻다고요?
(말 못하는 해준에게 느닷없이 중국어로)
중국어로 해 봐요.
试试用中文。
[shi shi yong zhong wen]

C# 6

당황하는 해준. 게다가 둘 사이가 너무 가깝다. 콧김이
뺨에 느껴진다. 대답 안 하고 눈만 반짝이며 기다리는
서래. 해준, 한숨 쉬더니 더듬더듬 중국어로 –

**해준**
예뻐요.
漂亮。
[piao liang]
(한국어로 마무리)
실루엣이.

C# 7

얼굴 빨개지는 서래.

6) 인서트 – 오븐 속 타는 사진들.

7) 3) 연결. 미망해 사진을 놓아 주고 마는 서래.

**서래**
그럼 그건 둬요.

서래가 든 나머지 사진 뭉치를 빼앗아 한 장 한 장 넘겨
보는 해준.

**해준**
이거랑…… 이것도 빼죠.
(신중하게 망설이다)
이것도.

C# 8

8) 이것저것 다 빼는 해준을 지켜보는 서래.

**서래**
(그 사진을 빼고 다른 사진을 주면서 중국어로)
이게 더 낫구만…….
明明这张更好啊…….
[ming ming zhe zhang geng hao a…… ]

C# 9

9) 6) 연결. 타들어 가는 사진으로 줌인.

C# 1

1) 앞 씬에서 디졸브. (VFX)
램프가 천천히 어두워진다. 줌인.

C# 2

2) 심플한 싱글 침대에 누운 해준 측면.
서래 손 프레임인, 머리맡 램프 디머를 돌려 조명을
낮춘다.

이내 해준이 조명을 다시 절반쯤 밝힌다.

C# 3

3) 침대 옆에 선 서래.

**서래**
이제 안녕히 주무시겠습니까?

C# 4

4) 2) 연결. 램프를 완전히 밝히는 해준.

**해준**
글쎄요……?

C# 5

5) 3) 연결. 서래, 방에서 나가며 -

**서래**
내가 방법이 있어요.

6)

**해준**
방법?
**서래**
(소리)
미 해군이 개발한 걸 내가 발전시켰어요.
**해준**
나 해군 출신인데.

의자를 가지고 프레임인하는 서래, 해준 머리맡에 놓고
앉는다.

C# 6

C# 7

7)

**해준**
미 해군이 뭘 개발했을까……?

C# 8

8)

**서래**
눈 감아요.

C# 9

9) 7) 연결. 눈 감는 해준.
이내 다시 뜨더니 -

**해준**
정말 내 심장이 갖고 싶어요?
그걸로 뭐 하게요?

**C# 10**

10) 8) 연결. 무슨 소리인가 잠깐 생각하다 깨닫고 웃는 서래.

**서래**
마음이라고 했습니다, 심장이 아니라.

**C# 11**

11) 9) 연결. 빙긋 웃는 해준의 눈을 손으로 감겨 주는 서래 얼굴, 프레임인.

**서래**
내 숨소리를 들어요,
내 숨에 당신 숨을 맞춰요.

몸을 기울여 해준 가까이 가는 서래.
서래의 숨소리 듣는 해준.
어느 순간 둘의 숨 쉬는 템포가 딱 맞는다.

**C# 12**

12) 어디론가 향하는 서래 손 따르는 카메라.

**서래**
(소리)
바다로 가요. 물로 들어가요.
내려가요. 점점 내려가요.

서래 손이 램프에 도착, 디머 다이얼을 천천히 돌린다.
실내가 점점 어두워진다.

C# 13

13) 11) 연결.

**서래**
당신은 해파리예요.
눈도 코도 없어요, 생각도 없어요.

눈 감는 서래에게 전진하는 카메라.
프레임아웃되는 해준.

**서래**
(중국어로)
기쁘지도 슬프지도 않아요.
아무 감정도 없어요.
물을 밀어내면서 오늘 있었던 일을
밀어내요, 나한테.
내가 다 가지고 갈게요,
당신한텐 이제 아무것도 없어요.
不喜也不悲, 没有任何情感。
[bu xi ye bu bei, mei you ren he qing gan.]
一下一下划水, 把今天发生的事都划出去, 推给我。
[yi xia yi xia hua shui, ba jin tian fa sheng de shi
dou hua chu qu, tui gei wo. ]
我会全部带走。现在, 你就什么都没有了。
[wo hui quan bu dai zou. xian zai, ni jiu shen me
dou mei you le.]

눈 뜨는 서래.

C# 14

14) 서래 시점 - 코앞에 있는 해준의 얼굴, 벌써 잠
들었다.

C# 15

15) 디졸브. (VFX)

1) 연결. 완전히 꺼지기 직전 상태의 램프. 필라멘트만
간신히 빛을 내고 있다.

| 70 | M | L | 10:00 | setup 32 |
|----|---|---|-------|----------|
| | 절 | | 해준과 서래의 데이트. 서래는 사건 녹음 파일을 삭제한다 | |

**C# 1**

1) 앞 씬의 전구에서 디졸브. 사천왕상의 한쪽 눈.

**C# 2**

2) 사천왕상을 구경하는 해준과 서래.

천왕문을 통과하는 돌풍에 서래 머리칼이 날려 얼굴에
붙자 -

**C# 3**

3) 머리칼을 정리해 주는 해준. 그의 손에 제 손을
얹는 서래.

굳은살을 느낀 해준, 서래의 손바닥을 들여다보면서
만진다. 서래, 부끄러운 듯 손을 빼며 -

**서래**
한국 여자들은 손이 참 보드랍죠?

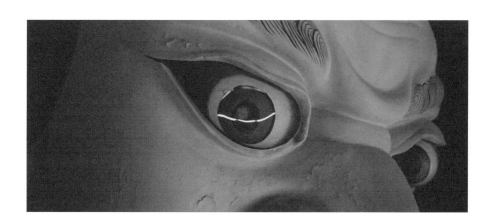

**C# 4**

4) 주머니에서 핸드크림을 꺼내는 해준, 서래 손에 정성껏 발라 준다. 쑥스러워하는 서래.

**C# 5**

5) 사천왕상을 올려다보면서 –

**서래**
첨부터 좋았습니다,
날 책임진 형사가 품위 있어서.
**해준**
경찰치고는 품위 있다, 이건가요?
(고개 젓는 서래)
한국인치고는?
(고개 젓는 서래)
남자치고는?
**서래**
(고개 젓고)
현대인치고는.

해준 우산을 빼 가는 서래, 먼저 천왕문을 나선다. 웃음 터뜨리며 뒤따르는 해준.

**C# 6-1**

6-1) 개산조당 문을 등진 앵글. 카메라 쪽으로 오는 서래, 질문하면서 따라오는 해준.

**해준**
서래 씨는 어느 시대에서 왔길래?
당나라?

| 70 | M | L | 10:00 | setup 32 |
|---|---|---|---|---|
| | 절 | | 해준과 서래의 데이트. 서래는 사건 녹음 파일을 삭제한다 | |

C# 6-2

6-2) 정면 미디엄 숏이 되는 위치에서 걸음을 멈추는 서래.

우산 아래로 들어오는 해준, 우산을 빼앗아 자기가 든다.

**해준**
왜 서래 씨는,
내가 왜 서래 씨 좋아하는지 안 물어요?

답은 안 하고 카메라 뒤의 문만 보는 서래.

C# 7

7) 개산조당 문의 풀 숏. 비스듬히 본 앵글.
해준이 - 문을 돌아서 가려고 - 화면 좌측으로 서래를 이끈다.

**해준**
알면 자꾸 그 생각만 할까 봐?
내가 잠복하는 거 어떻게 알았어요?
'잠복', 숨어서 보는 거.
주차된 차들을 다 들여다보고 다녀요, 원래?
내가 안 보일 땐 안 보고 싶었어요?

C# 8

8) 걷는 해준의 시점 - 우산 든 손 너머로 보이는 서래.

해준을 돌아보고는 있지만 아리송한 미소만 띤 채 대답 안 하던 서래 -

갑자기 몸을 돌려 우산 아래서 빠져나간다.

**C# 9**

9) 7) 연결. 해준 곁을 떠나 처마 밑으로 들어가는 서래.

**C# 10**

10) 가운데 문의 빗장을 여는 서래의 손.

**해준**
(소리)
서래 씨가 나하고 같은 종족이란 거,
진작 알았어요.

카메라, 빠르게 후진해서 서래의 뒷모습 미디엄 숏.
문을 열자 어느새 반대편 처마 밑에 와서 기다리는
해준.

**해준**
남편 사진 보겠다고 했을 때.
'말씀'은 싫다고.

**C# 11**

11) 세존비각 쪽에서 본 앵글.
문을 사이에 두고 마주 선 서래와 해준.
서래, 흥미로워하는 표정.

**C# 12-1**

12-1) 10) 연결. 문을 통과하는 서래, 따라가는
카메라.

C# 12-2

12-2)  서래, 반대편 처마 밖으로 나가 돌아선다.
일부러 비를 맞으며 기다리는 서래.

C# 13

13)  11) 연결. 화면 우측에 해준만.
짧은 숏.

C# 14

14)  해준 시점 - 미소 짓는 서래를 향해 가는 카메라.

우산이 프레임인해 서래를 씌워 준다.

C# 15-1

15-1)  대웅전, '대방광전' 편액이 걸린 쪽.
금강계단으로 통하는 문을 향해 걷는 두 사람.

카메라 상승하면서 -

C# 15-2

15-2) 담 너머로 두 사람을 내려다본다.

**해준**
나도 언제나 똑바로 보려고 노력해요.

대웅전 옆에 난 문을 통해 금강계단 쪽으로 들어오는
해준과 서래, 금강계단 둘레를 돈다.

C# 16

16) 서래에게 우산을 넘겨주고 풀어진 운동화 끈을
묶는 해준.

**해준**
현장에서 시신들 보면
한 절반쯤은 눈 뜨고 있는데요
그 눈이 마지막으로 봤을 범인을
꼭 잡아 드리겠다고 약속해요.

무섭다는 듯 몸서리치는 서래. 일어서 우산을 되찾는
해준.

**해준**
내가 정말 무서워하는 건 피 많은 현장…….
냄새 때문에.

걷는 두 사람을 따라 움직이는 카메라.

**서래**
그래서 비닐봉지 갖고 다녀요? 토할까 봐?
(웃는 해준)
또 뭐 있어요?

해준을 멈춰 세우는 서래, 양복 주머니에 손을 넣어
브레스민트를 꺼낸다.

**C# 17**

17) 서래, 민트 한 알을 입에 넣고 빨면서 –

또 다른 주머니들을 뒤진다.

**C# 18**

18) 선글라스를 꺼내서 해준에게 씌운다.

틸트업.

민망한 기분이 드는 해준, 태연한 척 –

**해준**
서래 씨는 뭐가 무서워요?
간호사니까 피는 아닐 테고…….

**C# 19**

19) 17) 연결.

**서래**
(물티슈와 주황색 고무장갑을 꺼냈다
도로 넣으며)
높은 데.

221

| 70 | M | L | 10:00 | setup 32 |
|---|---|---|---|---|
| | 절 | | 해준과 서래의 데이트. 서래는 사건 녹음 파일을 삭제한다 | |

C# 20

20) 16) 연결. '아~' 끄덕이는 해준. 주머니 구경에 재미 붙인 서래, 유틸리티 벨트에서 멀티툴을 꺼내 펴본다.

C# 21

21) 유틸리티 벨트에 멀티툴을 도로 꽂아 넣는 서래. 작은 손전등과 수갑도 보인다.

C# 22

22) 해준 어깨너머 서래.
가까이 다가오면서 거의 포옹하는 것처럼 보인다.

C# 23

23) 오른쪽 옷자락을 헤치고 카메라 쪽으로 쑥 들어오는 서래 손.

C# 24-1

24-1) 22) 연결. 다시 멀어지는 서래 얼굴.

**C# 24-2**

24-2) 카메라 붐업/틸트다운 - 해준 어깨너머 서래,
방금 찾아낸 철사 장갑을 끼어 본다.

**C# 25**

25) 20) 연결. 오른쪽 옷자락을 또 여는 서래.

**C# 26**

26) 인공 눈물과 손 세정제를 꺼내는 서래.

27-1) 선글라스 쓴 마네킹처럼 뻣뻣하게 선 해준의
몸을 부지런히 양손으로 뒤지는 서래. 등 뒤에도
주머니. 서래가 움직일 때마다 해준의 우산도
따라다닌다.

**C# 27-1**

**서래**
주머니가…….
**해준**
열두 개, 바지에 여섯 개.
단골집에서 맞춰 입어요.
(해준의 눈을 들여다보며
바지의 도장 주머니에 손을 넣는 서래.
너무 가까이 다가와 긴장하는 해준)
옛날에 사건 해결해 드린 적 있어서 싸게 해 줘요.
사건 생기면 바로 가야 되니까
휴일에도 이렇게 입어요. 휴일이라고 사람들이
살인 안 하는 건 아니잖아요.

서래가 꺼낸 것은 립밤. 제 입술에 바르더니 해준
입술에도 댄다.

C# 27-2

27-2) 쑥스러운 해준, 선글라스를 벗으면서 아무 말이나 -

**해준**
같은 옷 계속 입는 거 아니고요,
여러 벌 있어요, 나는요…….

C# 28

28) 두 손가락으로 입술을 잡아 봉해 버리는 서래, 립밤을 제대로 발라 준 다음 놓아준다.

**해준**
……깨끗해요.

C# 29

29) 서래, 립밤 뚜껑 닫으면서 해준을 물끄러미 본다.

C# 30

30) 27) 연결. 두 사람에게 접근하는 카메라.
립밤을 주머니에 도로 집어넣고 해준의 가슴을 탁탁 치는 서래.

**서래**
총 없어요?
(고개 젓는 해준)
수첩은?
**해준**
(스마트워치 보여 주며)
녹음이 빨라요.

| 70 | M | L | 10:00 | setup 32 |
|---|---|---|---|---|
| | 절 | | 해준과 서래의 데이트. 서래는 사건 녹음 파일을 삭제한다 | |

C# 31

31) 시간 경과. 영산전.
벽에 그려진 팔상도를 따라
트래킹하는 카메라.

서래가 프레임인된다.

**해준**
(서래와 해준이 듣는 스마트워치 녹음)
책하고 공책을 나란히 펴 놓고 몇 시간이고
뭔가를 쓴다, 필사를 하나…….
스마트폰으로 뭔가를 자주 찾는 걸 보면
사전 찾으면서 번역을 하는지도…….

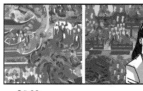

돌아보는 서래, 과거 해준의 추측이 옳다는 듯 고개를
끄덕여 준다. 귀에 이어폰 하나.

C# 32

32) 팔상도를 등진 카메라.
해준, 조금 웃는다. 그의 귀에도 이어폰 하나.

**해준**
(스마트워치 녹음)
……또 드라마 본다. 보면서 혼잣말을 한다.
저렇게 사극으로 배워서
말을 고풍스럽게 하는가.

C# 33

33) 서래의 귀.

**해준**
(스마트워치 녹음)
……저녁은 또 아이스크림.

틸트다운하면 –

서래 입꼬리가 조금 올라간다.

**C# 34**

34) 해준의 입.

해준
(스마트워치 녹음)
집 안 정리 상태나 옷차림을 보면……

카메라 틸트업해서 이어폰 꽂힌 귀.

**해준**
(스마트워치 녹음)
……방문객을 기다리는 것 같지는 않다.

**C# 35**

35) 해준 시점 – 서래.

**해준**
(스마트워치 녹음)
……우는구나. ……마침내.

서래, 눈물이 나니까 급히 고개 돌려 불상을 본다.

36) 불상을 정면으로 본 앵글.
손수건을 꺼내는 해준, 서래에게 몸을 뻗는다.
손수건을 건네받는 서래, 이어폰 한쪽을 돌려준다.
손수건으로 눈물 콧물 닦더니 중국어로 –

**C# 36**

**서래**
젠장.
妈的。
[ma de]

**해준**
욕인 거 압니다……. 거 부처님 앞에서, 참…….

| 70 | M | L | 10:00 | setup 32 |
|---|---|---|---|---|
| | 절 | | 해준과 서래의 데이트. 서래는 사건 녹음 파일을 삭제한다 | |

C# 37

37) 석가모니불의 얼굴.

C# 38

38) 부처님 시점 - 고개 돌려 해준을 보는 서래.

**서래**
사건 해결하면 파일 지우죠?

해준, 끄덕.

C# 39

39) 고개 끄덕이기가 무섭게 멋대로 파일 삭제하는 서래.

C# 40

40) 전화기 내려다보며 파일 삭제 확인하는 서래. 일어서는 해준.

초점 이동 -

순간 당황하지만 이내 픽 웃고 마는 해준.

C# 1

1) 또 볶음밥 만드는 해준. 옆에서 경단을 준비하는 서래, 밀가루 반죽 덩어리에서 먹기 알맞은 크기로 하나씩 떼어 낸다. 입에는 담배를 문 채 양손으로. 웍과 담배에서 난 연기가 자욱하다. 서래, 「안개」를 중국어 가사로 흥얼거린다. 해준, 고개 돌려 서래가 잘 만들고 있나 본다.

C# 2

2) 해준 시점 - 경단 준비하는 서래의 양손. (프레임 우측에 서래의 휴대폰 살짝 걸림)

C# 3

3) 1) 연결. 서래, 노래의 어느 대목에서 막혔는지 왼손으로 담배를 조심스럽게 잡더니 오른쪽 새끼손가락을 입으로 쪽 빤다.

C# 4

4) 2) 연결. 서래, 손가락을 행주에 문지른 다음 전화기를 켠다. 조리대에 눕혀 놓은 채 새끼손가락만으로 비번 '150724'를 누른다.

5) 3) 연결. 힐끔 보는 해준.

**해준**
어머니 돌아가신 날이네요?
(놀란 눈으로 돌아보는 서래)
사건 관련 숫자들을 외워 두면
수사에 도움 될 때 많아요.
(서래 입에서 담배를 빼서 길게 늘어진 재를
떤 다음 다시 물려 주고)
이제 종결된 사건이니까 그 숫자도 잊을게요.

C# 5

미안해하는 해준을 향해 씩 웃어 주는 서래, 정훈희 노래를 재생시킨다.
해준, 웍으로 시선을 내린다.

| 72 | D | L | 14:00 | setup 2 |
|---|---|---|---|---|
| | 주방 - 정안 집 | | 「안개」를 듣는 해준과 정안. 정안, 해준이 담배 피웠는지 의심한다 | |

C# 1

1) 해준 시점 - 다 먹은 식기를 설거지하는 해준의 손.

C# 2

2) 노래 「안개」 연결. 왼쪽 귀에만 이어폰 끼고 정훈희 「안개」를 흥얼거리는 정안, 오른쪽 이어폰 끼고 설거지하는 해준의 뒤에 서서 안은 상태.

**해준**
어떻게 알아? 이 구닥다리 노래를.
**정안**
이 동네선 모르는 사람 없지, 여기 주제간데.
트윈폴리오도 부른 거 알아?
**해준**
그래?

휴대 전화에서 나오는 노래 따라 흥얼거리던 정안, 갑자기 의심스럽다는 듯 해준의 몸 여기저기에 코를 대고 냄새를 맡는다.
얼어붙는 해준. 정안, 무서운 얼굴로 해준의 등짝 내리친다.

**정안**
폈네, 폈어.
(눈만 동그랗게 뜬 해준)
담배!
**해준**
아, 수완이 이 놈을 그냥…….

한 대 더 때리는 정안.

230

| 73 | N | L | 04:00 | setup 1 |
|----|---|---|-------|---------|
|    | 침실 - 정안 집 | | 곤히 자는 정안 옆에서 잠 못 이루는 해준 | |

C# 1

1) 옆으로 누워 곤히 자는 정안. 등지고 누운 해준.

잠시 후, 손을 뻗어 탁상시계를 확인하는 해준.

| 74 | N | L | 04:30 | setup 8 |
|---|---|---|---|---|
| | 마당 - 정안 집 | | 잠이 안 와 손세차하는 해준, 결국 서래에게 문자를 보낸다 | |

C# 1

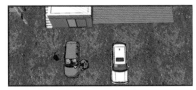

1) 마당에서 자기 차 세차하는 해준, 집중 못하고
닦은 데 계속 닦다가 결국 고무장갑을 홱 벗어던진다.
전화기를 꺼내 서래에게 문자한다.

C# 2

2) '자요?'

C# 3

3) 휴대폰 주머니에 넣고 고무장갑 만지작거리는
해준 뒤로 집 이층에 불이 켜진다. 마당의 해준을
내려다보는 정안의 실루엣. 해준은 못 본다. 해준에게
문자 왔다는 알림음. 확인하는 해준.

C# 4

4) 2) 연결. 정안에게 온 문자 - '어이, 불면증. 내 차도
부탁(부탁하는 이모티콘)'

C# 5

5) 놀라는 해준, 돌아본다.
창가에 선 정안 향해 엄지척 해 준다.

C# 6

6) 3) 연결. 손 흔들고 사라지는 정안, 이층 불 꺼진다.

C# 7

7) 큼직하고 더러운 모하비를 돌아보는 해준, 쩝. 문자
도착 알림음에 또 놀란다.

C# 8

8) 4) 연결. 액정 클로즈업 - '병원. 화요일 할머니가 위독하세요ㅠㅠ'
'아······'

C# 9

9) 기다리는 해준. 알림음.

C# 10

10) 8) 연결.
'저 보고 싶다고 하셨다는데 와 보니 의식이 없어서 계속 기다려요.'
'저런······' 타이핑하는 해준 손가락.
이내 또 타이핑 - '그럼 월요일 할머니는요?'

C# 11

11) 9) 연결. 기다리는 해준. 알림음. 그리고 바로 답장.

C# 12

12) 10) 연결.
'아, 걱정이에요.'
'내가 가 볼까요?'
'정말요?'
'잠 못 자 죽어가는 형사보다 산 노인이 중하지 않겠습니까.'에서 '않겠습니까'를 치는 해준 손가락.

| 74 | N | L | 04:30 | setup 8 |
|---|---|---|---|---|
| | 마당 - 정안 집 | | 잠이 안 와 손세차하는 해준, 결국 서래에게 문자를 보낸다 | |

**C# 13**

13) 아이메시지, 상대방이 타이핑하고 있는 점 표시.

**C# 14**

14) 기다리는 해준 얼굴로 디졸브. (VFX)
초조한 기다림.

**C# 15**

15) 12) 연결.
'ㅋㅋ그래주신다면……', 곧이어 '업체엔 9시에나
연락돼요.'

해준이 '9시요?'라고 쓰는 중에 서래에게 계속 문자
온다.

'최대한 빨리 사람을 보내 달라고 하겠습니다.'

해준이 '9시요?'라고 썼던 답장을 지우고 '그럼'이라고
쓰는데 -

추신처럼 새 메시지가 도착한다 - '제 집 식탁에서 녹색
공책 가져가 읽어 드려요'

'그럼' 지우는 해준.

이어서 서래의 문자, '그거 좋아하세요^^'

| 74 | N | L | 04:30 | setup 8 |
|----|---|---|-------|---------|
| | 마당 - 정안 집 | | 잠이 안 와 손세차하는 해준, 결국 서래에게 문자를 보낸다 | |

**C# 16**

16) 7) 연결. 한숨 쉬는 해준, 양동이의 물을 정안의 차에 확 끼얹었다.

| 75 | DAWN | S | 06:30 | setup 3 |
|---|---|---|---|---|
| | 서래 아파트 | | 공책 가지러 서래 집에 온 해준, 펜타닐을 확인한다 | |

**C# 1**

1) 창이 어슴푸레 밝아 온다. 캄캄한 집, 공책. 비번 입력하는 소리, 문 열리는 소리.

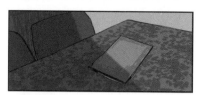

현관 센서등이 켜지면서 녹색이 드러난다.

**C# 2-1**

2-1) 문 열린다. 해준이 들어와 현관 센서등이 켜진다.

해준, 식탁 불을 켠다. 식탁 위 녹색 공책을 챙긴다.

나가려다 멈칫하더니 도로 불 켠다.

거실 커피 테이블 앞으로 가는 해준.

| 75 | DAWN | S | 06:30 | setup 3 |
|---|---|---|---|---|
| | 서래 아파트 | | 공책 가지러 서래 집에 온 해준, 펜타닐을 확인한다 | |

**C# 2-2**

2-2)  보자기를 풀고 빨간 항아리의 뚜껑을 연다.

**C# 3**

3)  항아리 안에는 흰 종이로 싼 뼛가루.
뚜껑 안쪽에 붙은, 지퍼락에 든 청록색 캡슐 네 알이
보인다.

**C# 4**

4)  2) 연결. 잠시 보다 그냥 뚜껑을 닫는 해준.

**C# 5**

5)  3) 연결. 해준, 뚜껑 닫는다.

| 76 | D | L | 09:30 | setup 6 |
|----|---|---|-------|---------|
| | 거실 - 월요일 할머니 집 | | 월요일 할머니의 휴대폰을 보다가 이상한 점을 발견하는 해준, 머리에 떠오른 생각에 괴롭다 | |

**C# 1**

1) 바퀴 침대 위 간이 테이블에 엎어 놓은 녹색 공책.

**C# 2**

2) 바퀴 침대에 누워 지긋이 눈감은 이해동 할머니.
곁에 앉아 팔을 주무르는 해준.

**할머니**
남자 손이 아주 그냥……
서래보다 더 보들보들하네.
**해준**
흐흐…… 서래 손엔 굳은살이 좀 있죠.
**할머니**
요즘 그렇드라……. 원랜 손바닥이 입술 같았는데.

망측한 표현이라 깔깔 웃는다.
따라 웃다가 서서히 찌푸리는 해준에게 초점 이동.
해준, 뭔가 맘에 걸린다.

할머니에게 초점 이동 –
할머니, 휴대 전화를 들고 –

**할머니**
시래야…… 시래야! 얘, 노래 좀 틀어 줘. 그…….
누구냐, 그 누구의 안개.
(반응 없자 마구 아무 데나 누르며)
얘가 요새 말을 안 들어.

해준에게 초점 이동 –

**해준**
(할머니 전화를 부드럽게 가져가며)
서래 꺼하고 똑같네요?
**할머니**
그럼, 같이 샀으니까.

「안개」를 재생시키면서 할머니 전화기를 보는 해준.

| 76 | D | L | 09:30 | setup 6 |
|---|---|---|---|---|
| | 거실 - 월요일 할머니 집 | | 월요일 할머니의 휴대폰을 보다가 이상한 점을 발견하는 해준,<br>머리에 떠오른 생각에 괴롭다 | |

**C# 3**

3) 아무렇게나 누르고 만져서 켜져 있는 앱들이 잔뜩
늘어선 상황.

**해준**
(소리)
이런 거 너무 많이 켜 두면 안 좋아요.

앱을 하나씩 꺼 나가는데 운동 앱의 '계단 오르기'를
끄려다 멈춘다.

**C# 4**

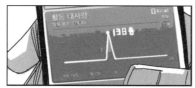

4) 지난 몇 달간의 '계단 오르기' 내용이 다른 날에는
다 0이다가 어느 월요일만 138층이다.

**C# 5**

5) 해준, 유심히 보며 생각하더니 전화기를
할머니에게 내밀며 -

**해준**
이 월요일에 서래 여기 왔었죠?

**C# 6**

6)

**할머니**
월요일이면 오지.

C# 7

7) 5) 연결. 대화할수록 조금씩 할머니에게 다가가는 해준.

**해준**
같이 어디 가셨어요?

C# 8

8) 6) 연결.

**할머니**
난 십 년 동안 집에만 있었는데?
노래 좋지?

C# 9

9) 7) 연결.

**해준**
(잠시 집중해서 추리하다가)
할머니, 오늘이 무슨 요일이에요?

C# 10

10) 8) 연결.

**할머니**
(뒤돌아보더니 어리둥절해져서)
할머니가 어딨다고 그래, 오빠.
(경악하는 해준을 향해 배시시 웃으며)
요일? 잘 모르겠어요.

C# 11

11) 9) 연결.

**해준**
우리 해동이 착하지…….
만약에 말야, 서래가 오늘 왔으면?

C# 12

12) 10) 연결.

**할머니**

월요일이요.

C# 13

13) 11) 연결. 해준, 머리에 떠오른 생각을 스스로
감당하기 힘들어 괴롭다.
몸을 뒤로 빼는 해준.
얼굴을 놓치기 싫다는 듯 줌인하는 카메라.

| 77 | D | L | 13:00 | setup 5 |
|---|---|---|---|---|
| | 장례식장 | | 화요일 할머니 장례식장에서 서럽게 우는 서래와 그녀를 지켜보는 임호신 | |

**C# 1**

1) 전 씬 마지막 숏에서 흰 국화의 무리로 디졸브.
(VFX)

디졸브 끝나면 줌아웃 -

화요일 할머니 영정사진이 프레임인된다.

**C# 2**

2) 아무것도 모른 채 해준에게 평화롭게 미소 짓는
월요일 할머니로 디졸브. (VFX)

**C# 3-1**

3-1) 화요일 할머니 영정 앞에 꿇어앉은 서래로
디졸브. (VFX)

| 77 | D | L | 13:00 | setup 5 |
|---|---|---|---|---|
| | 장례식장 | | 화요일 할머니 장례식장에서 서럽게 우는 서래와 그녀를 지켜보는 임호신 | |

C# 3-2

3-2) 서래, 섧게 운다.

C# 4

4) 서래에서 유족으로 초점 이동.
전화기 들여다보는 사람, 꾸벅꾸벅 조는 사람들
사이에서 한 남자만 서래를 본다.

C# 5

5) 임호신이 서래를 관심 갖고 지켜본다.

C# 1

1) 서래가 아파트 입구 CCTV에 찍힌 동영상.
걸어오는 중에 프리즈프레임된다.
사진, 미지가 보내 준 것.

C# 2

2) 시각 06:53이 사진 하단에 찍혀 있다.

C# 3

3) 높이 달린 CCTV 카메라 너머로 해준,
스마트워치에 대고 –

**해준**
송서래가 출입구 감시 카메라에……

C# 4

| 2일 일 오전 | 12 | 05 |
|---|---|---|
| **오늘 오후** | **13** | **06** |
| 4일 화 | 14 | 07 |

4) '설정'으로 들어가 '날짜 및 시간'에서 현재 시각을
수동으로 바꾼다.
13시 6분에서 오전 6시 53분으로.

**해준**
(소리)
……찍힌 시각에 맞추고……

| 2일 일 오후 | 5 | 52 |
|---|---|---|
| **오늘 오전** | **6** | **53** |
| 4일 화 | 7 | 54 |

| 78 | D | L | 13:06 | setup 5 |
|---|---|---|---|---|
| | 월요일 할머니 아파트 입구 | | 시각 세팅하고 서래의 동선을 추리하기 시작하는 해준 | |

C# 5

5) 등산복으로 갈아입은 해준, 아파트 입구에 섰다.
시각 세팅을 마친 해준, 출발하면서 프레임아웃.

**해준**
……출발.

C# 1

1) 해준 시점 - 뒷방. 할머니는 낮잠 잔다.

C# 2

2) 테이블에는 할머니의 휴대 전화.

C# 3

3) 집 안에서 본 모습. 창밖에서 들여다보는 해준.

C# 4

4) 1) 연결. 서래가 방 문 열고 들어오면서 새벽 조명으로 전환.

할머니와 자기의 휴대 전화를 바꾸는 서래.

C# 5

5) 2) 연결. 전화기 케이스도 바꾸어 끼운다.

**해준**
(소리)
전화를 바꿔치기해서 나오는 데 아마도 칠 분.

C# 6

6) 4) 연결. 창 쪽으로 오는 서래.

**해준**
(소리)
뒷방 창으로 빠져나오면 감시 카메라가 없다.

C# 7

7) 3) 연결. 안을 들여다보던 해준, 화면 아래로 사라진다.

| 80 | D / M | L | 13:40 / 07:40 | setup 2 |
|---|---|---|---|---|
| | 버스 안 / 구소산 공원 정류소 | | 구소산 공원행 버스 타고 이동하는 해준, 그리고 서래 | |

C# 1

1) 사람들 사이에 앉아 흔들흔들 가는 해준.
'구소산 공원'이라고 알리는 방송 듣고 내린다.

C# 2

2) 버스에서 내릴 때는 서래.

C# 1

1) 팔뚝에 스마트폰 고정하는 밴드를 찬 해준,
기도수의 유튜브 영상을 재생하면서 카메라 쪽으로 몇
걸음 올라온다.

　　　　　　도수
　　　　　　(소리)
　　　두 가지 루트가 있습니다,
　　　쉬운 루트와 어려운 루트.
　시간은 뭐 거의 비슷하게 걸립니다.

멈춰 서는 해준.
카메라 붐다운해서 약간 로우앵글이 된다.

　　　　　　도수
　　　　　　(소리)
　　저야 늘 어려운 루트를 오르지만
　오늘은 특별히 초심자분들을 위해⋯⋯

C# 2-1

2-1) 해준 뒤통수 너머로 보이는 팔뚝 스마트폰,
〈기도수TV〉 화면 - 헬멧에 고정된 액션캠으로 자기
얼굴을 찍은 모습.

　　　　　　도수
　　⋯⋯쉬운 루트로 가 보겠습니다.

도수, 액션캠 방향 돌려서 비금봉을 보여 준다.

줌인해서 프레임 가득 차는 스마트폰 화면.

　　　　　　도수
　　　　　　(소리)
　쉽다고는 해도 떨어지면 죽으니까
　　아쉬워하지 않으셔도 된다는.

제 농담에 웃는 도수.

좌향 트래킹 -

C# 2-2

2-2) 좌향 트래킹해서 해준 머리를 프레임아웃시키면서 비금봉의 실물 전경이 화면에 가득 차도록.

**해준**
공팔 시 삼십오 분, 등반 시작.

비금봉을 비추는 오후 햇살이 이른 아침 햇살로 바뀐다.
(이후 이 시퀀스는 모두 아침 설정. VFX)

C# 3

3) 1) 연결. 비금봉을 올려다보던 시선을 내리는 해준, 손바닥에 초크를 듬뿍 묻힌다. 스마트워치에 대고 -

**해준**
송서래는 쉬운 루트를 택했을 것이다,
남편 눈에 띄면 안 되니까.

카메라 상승하면 -

해준에게 가려져 있던 서래가 보인다.
해준의 상상이 시작된다.

해준이 서래를 돌아봄과 동시에 전진하는 카메라.

해준을 지나쳐 서래에게.

등산 장비 착용한 서래, 초크를 잔뜩 묻힌 손을 탁탁 맞부딪히며 암벽을 올려다본다.
서래의 굳은 결의.

카메라를 향해 다가오는 서래, 프레임아웃한다.

C# 4

4) 프레임인하는 해준의 옆모습, 바위에 띄엄띄엄
박힌 쇠고리를 잡고 오르기 시작한다.

**도수**
(소리)
경사도는 낮지만 홀드가 많지 않아서
미끄러짐을 조심해야 합니다.

얼마 되지 않아 쇠고리 밟은 발이 미끄러지는 해준.

암벽 잡은 두 손으로 버티는 해준.

**도수**
(소리)
이런 데서 미끄러졌다고
창피해하지는 않아도 됩니다.

C# 5

5)

**도수**
(소리)
원랜 비금봉을 지름봉이라고 불렀답니나,
기름 바른 듯 미끄럽다고 지름봉.

위를 보며 잡을 곳을 찾는 해준.

시선 따라 틸트업 -

해준의 손이 암벽의 약간 튀어나온 부분을 척 잡는다.

C# 6-1

6-1) 해준 시점 - 공책 페이지를 넘기는 해준의 손
움직임이 앞 숏의 손 움직임과 매치.

배경으로 보이는 이해동 할머니, 침대 기울기를 약간
세워 누운 상태.

접힌 페이지를 펼쳐 산의 지도 전체를 보는 해준.

| 81 | D / M | L / O | 14:30 / 08:30 | setup 41 |
|---|---|---|---|---|
| | 구소산 | | 기도수 사고 당일 서래의 행적을 추적하는 해준, 진실을 깨닫는다. | |

C# 6-2

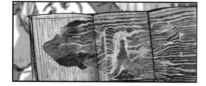

6-2) 해준의 회상 - 이해동 할머니에게 녹색 표지의
서래 공책을 읽어 주는 해준.

**해준**
다시 동쪽으로 이백오십 리를 가면
기름산이 있는데……

C# 7

7)

**서래**
(해준 입모양에 맞는 소리)
……이 산의 봉우리는 깊이 감추어져,
보려고 하지 않는 사람에겐 보이지 않는다.

전화 벨소리 선행.
전화기를 향해 고개 돌리는 해준.

C# 8-1

8-1) 느린 경사 지점으로 올라오는 서래,
전화 받는다.

활짝 웃으며 활기차게 -

**서래**
네, 실장님…… 출근 잘 했어요.

카메라 후진하면 -

해준이 프레임인된다. 서래 보는 해준.

| 81 | D / M | L / O | 14:30 / 08:30 | setup 41 |
|---|---|---|---|---|
| | 구소산 | | 기도수 사고 당일 서래의 행적을 추적하는 해준, 진실을 깨닫는다. | |

C# 8-2

8-2) 카메라 쪽으로 다가오는 서래, 프레임아웃.

해준, 녹음 –

**해준**
공구 시, 간병인 알선 업체에서
걸려 온 확인 전화.

아득한 표정으로 산 바라본다.

**도수**
(소리)
이 대목에서 초크 한 번 더 묻혀 주시고.

손에 다시 초크 칠하는 해준.

**도수**
(소리)
저희 동호회에서 초심자를 위해서
볼트를 박아 뒀으니까 안전을 위해서
확보줄을 꼭 걸고 올라가세요..

C# 9

9) 해준 등산화.
바닥에 떨어지는 초크 가루.
다시 출발하면서 발, 프레임아웃.

**도수**
(소리)
자, 이 구간의 시작은 크랙과 슬랩으로
이루어져 있고…….

C# 10-1

10-1) 손, 프레임인. 허리춤에 맨 확보줄의
카라비너를 볼트에 거는 해준.
고개 숙여 아래를 내려다보는 얼굴도 프레임인한다.

**C# 10-2**

10-2) 해준, 산 올라오면서 발까지 프레임인.

해준 따라 올라가는 카메라. (7초가량)

다음 홀드를 잡으려고 몸을 한껏 펴다가 발이
미끄러지면서 카메라 너머로 추락한다.

카메라 틸트다운 -

확보줄에 대롱대롱 매달린 해준을 내려다보는 카메라.
얼굴로 줌인 -

파랗게 질린 얼굴로 가쁜 숨 몰아쉬는 해준.

**도수**
(소리)
중간 중간 믿지 못할 홀드도 있습니다.

C# 11

11) 해준 시점 - 위태로워 보이는 볼트 클로즈업.

C# 12

12) 균형 잡고 흔들흔들 암벽으로 다가가는 해준,
왼팔을 뻗어 암벽을 잡으려고 노력한다.

C# 13

13) 왼손을 높이 뻗어 다음 홀드를 잡으려고 헛손질.
손에서 얼굴로 초점 이동하면 (해준이 아니라) 서래.

내려다보는 서래.

C# 14

14) 서래 시점 - 아찔한 풍경.
굴러 떨어지는 돌 부스러기.

**도수**
(소리)
풍경이 제법 시원~하죠?

C# 15

15) 서래, 울음이 터진다.

**서래**
(소리)
여기 사는 구더기는 길이가
백 년 자란 소나무와 같고……

| 81 | D / M | L / O | 14:30 / 08:30 | setup 41 |
|---|---|---|---|---|
| | 구소산 | | 기도수 사고 당일 서래의 행적을 추적하는 해준, 진실을 깨닫는다. | |

C# 16

16) 13) 연결. 먼 홀드를 잡으려고 팔을 쭉 뻗는 서래,
벽에 몸을 밀착시키고 한쪽 발로 점프를 해서 겨우
홀드를 잡는다.

**서래**
(소리)
뱃바닥에서 끈적끈적한 것이 나와
미끄러지지 않고 산을 오른다.
주름이 천 개 접힌 흰 몸은······

C# 17

17) 『산해경』 삽화풍의 애니메이션. 비금봉과 비슷한
산. 거대한 구더기가 서래를 향해 기어 올라온다.

**서래**
(소리)
앞뒤를 분간하기 힘드나
사람들은 긴 대롱을 내미는
주둥이를 보고 어느 쪽으로 달아날지 정한다.

줌아웃하면 -

해준이 이해동 할머니에게 읽어 주는 서래 노트.

**도수**
(소리)
거의 다 왔습니다.

C# 18

18) 디졸브. (앞 컷의 노트 모서리와 휴대 전화 프레임 일치)
〈기도수TV〉 화면 - 마지막 구간에서 잠시 멈춰 선 도수,
헬멧에서 뺀 액션캠을 응시한다.

**도수**
마지막 오버행이 문제라면 문젠데······
하여튼 보시면 압니다.
말러 오 번을 들으면서 출발하면······

C# 19-1

19-1) 전화기의 시점인 양, 기도수 얼굴 너머로
보이는 해준 얼굴. (VFX)

**도수**
(소리)
······사 악장 끝날 때쯤 도착합니다.
정상에 앉아 오 악장까지 듣고 하산하면 완벽하죠.

| 81 | D / M | L / O | 14:30 / 08:30 | setup 41 |
|---|---|---|---|---|
| | 구소산 | | 기도수 사고 당일 서래의 행적을 추적하는 해준, 진실을 깨닫는다. | |

C# 19-2

19-2) 카메라를 향해 다가오는 해준의 손가락,
방송을 정지시킨다.

C# 20

20) 해준, 땀범벅.
상처투성이인 손으로 땀 닦는다.

슬랩에 기대 잠시 쉬다 갑자기 고개를 갸우뚱.
스마트워치에 -

**해준**
송서래는 기도수보다 먼저 올라가 기다렸을까?
정상엔 숨을 곳이 없는데?
그럼 나중에? 그럼 송서래가 도착하기도 전에
기도수는 말러 다 듣고 하산했겠지.

의문을 품은 채 다시 암벽을 오르는 해준, 프레임아웃.

**해준**
동시에 올랐다면?
어떻게 눈에 띄지 않을 수 있었을까?

C# 21-1

21-1) 암벽이 안으로 V자 모양으로 파진 침니 안에서
본 앵글, 하늘이 보인다.
해준, 프레임인. 카메라 쪽으로 들어온다.

C# 21-2

21-2) 벽에 등을 기대고 자리 잡는다.
스마트워치에 녹음하는 해준.

C# 22

22) 서래, 벽에 등을 기대고 발로 맞은편 바위를
밀면서 최대한 다리를 펴고 선 자세.

카메라 이동해서 -

**해준**
(소리)
완벽한 은신처다,
한 시간이라도 머물 수 있을 만큼.

바스트 숏까지. 서래, 휴대 전화 시계를 본다.

카메라, 침니 안으로 더 들어가면 -

서래 너머 조금 떨어진 어려운 루트에 도수가
나타난다.

23) 도수, 프레임인한다.
블루투스 이어폰을 낀 그의 귀에 말러 교향곡 5번의
4악장이 흐른다.
도수, 올라가면서 프레임아웃.

C# 23

**서래**
(소리)
구더기가 사람을 만나면
기다란 몸으로 휘감고

**C# 24**

24) 22) 연결. 진저리치는 서래.

**서래**
(소리)
대롱을 꽂아 피와 골을 빨아먹으므로
반드시 피해야 한다.

서래, 눈 질끈 감는다.

눈 뜨는 서래.

밖을 보려고 몸 돌린다.

**C# 25**

25) 카메라 쪽으로 몸을 기울이며 침니 밖을
내다본다. 올려다보는 해준.

C# 26

26) 해준의 상상 - 마지막 오버행 바로 아래 도달하는 도수.

C# 27-1

27-1) 화면 가득 채운 〈기도수TV〉 스마트폰 화면 - 도수가 마지막 오버행을 오른다. 헬멧에 달린 카메라가 철 사다리를 잡은 도수의 양손을 보여 준다.

**도수**
(소리)
저 다니는 어려운 코스에 비하면 이건 뭐⋯⋯

카메라 빠지면 해준 팔에 장착된 스마트폰.

**도수**
(소리)
그냥 초밥 집어먹듯이 한 칸 한 칸 잡고

철 사다리 오르는 해준.

**도수**
(소리)
오르다 보면 어느새 내 몸은 정상에!

카메라, 반시계방향으로 회전하면서 상승 - 해준을 내려다본다.

힘겹게 올라오는 해준, 카메라 더 상승하면서 멀어진다.

바위를 꽉 잡고 상체를 올리는 해준을 내려다본다. 아래로 펼쳐진 낭떠러지. 힘을 다해, 후들거리는 다리를 올린다.

| 81 | D / M | L / O | 14:30 / 08:30 | setup 41 |
|---|---|---|---|---|
| | 구소산 | | 기도수 사고 당일 서래의 행적을 추적하는 해준, 진실을 깨닫는다. | |

**C# 27-2**

27-2) 정상에 도착한 카메라, 후진.

어려운 코스로 막 정상에 오르는 도수가 프레임인한다.

도수, 헬멧 벗고 땀 식힌다.

멀리 뒤로 정상에 올라오는 서래, 초점 이동.

서래를 향해 접근하는 카메라.

바닥 높이 앵글.
서래도 가까스로 마지막 무브.

C# 27-3

27-3) 정상에 올라오는 서래, 한쪽 무릎 꿇고 앉는다.

패닝 -

일어서는 서래의 시점 - 등 돌리고 앉아 경치 감상하는 도수.

다가가는 카메라.

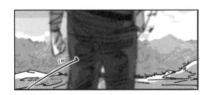

해준의 다리가 프레임인하면서 도수가 잠시 가려진다.
카메라 멈춘다.
도수가 앉았던 자리로 걸어가는 해준.

이제 도수는 없다. (VFX)

C# 27-4

27-4) 해준, 탈진해 대자로 눕는다. 팔뚝에서 휴대 전화를 떼어서 본다.

C# 28

28) 해준 시점 - 떨리는 손으로 운동 앱을 켠다. 오른 층계 -

C# 29

29) 138층. 휴대폰의 시점인 양, 계단 앱 화면 너머로 보이는 해준. (VFX)

C# 30-1

30-1) 부감. 근경에 해준의 손과 스마트폰.

손을 내리면서 얼굴 드러난다.
절망감에 눈을 질끈 감았다 뜬다.

C# 30-2

30-2) 손을 들어 바라보는 해준에 맞춰 포커스 이동.
상처와 물집, 깨진 손톱들.

얼굴로 초점 이동.

C# 31

31) 해준 시점 - 서래 손이 프레임인해 해준 손을
잡는다.

부끄러워하며 손 빼는 서래.

**서래**
(소리)
한국 여자들은 손이 참 보드랍죠?

C# 32

32) 절 씬 플래시백.
해준 시점 - 수줍게 웃는 서래.

C# 33

33) 나무에 자일 묶는 서래 손.

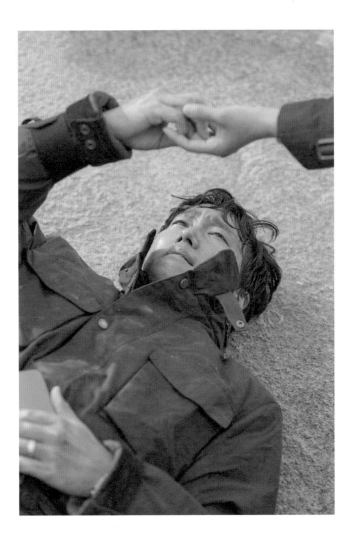

C# 34

34) 힙 플라스크 여는 도수의 손.

C# 35

35) 위스키 마시는 해준, 돌아본다.

**도수**
(소리)
오전 열 시.
제가 제일 좋아하는 비금봉의 정상입니다.

빠르게 패닝하는 카메라.

차가운 결의가 담긴 얼굴로 달려오는 서래. 이미 가까이 온 상태.

C# 36

36) 놀라는 도수.

C# 37

37) 슬로우 모션.
도수의 가슴을 밀어 버리는 서래의 손.
도수 몸이 밀쳐지면서 프레임아웃한다.

도수의 거칠게 깨진 손톱 끝이 그녀의 손을 스친다.

왼 손등에 할퀸 상처가 생긴다. 프리즈 프레임.

카메라가 움직여 도수의 손목시계를 화면 중심에
놓는다.

시계로 전진. 프리즈 풀린다.
롤렉스 시계 분침이 10시 1분에서 2분으로 넘어간다.

도수 손 프레임아웃. (VFX)

| 81 | D / M | L / O | 14:30 / 08:30 | setup 41 |
|---|---|---|---|---|
| | 구소산 | | 기도수 사고 당일 서래의 행적을 추적하는 해준, 진실을 깨닫는다. | |

**C# 38**

38) 나무에 묶인 자일이 팽팽해진다.
슬로우 모션.

카메라 후진.

**C# 39**

39) 부감. 추락하는 도수.

암벽에 1번, 2번 충돌.

**C# 40-1**

40-1) 3번 충돌.
프레임아웃하는 도수.

틸트업 -

C# 40-2

40-2) 벼랑 끝으로 기어 와 삐꼼 내려다보는 서래가
작게 보인다.

**도수**
(소리)
더러운 세상은 멀리 떨어져 있다,
이렇게 죽어도 좋다.

C# 41

41) 내려다보는 해준.

C# 42

42) 바닥에 누운 도수의 시체. 주위에 경찰들.
(씬1의 새벽 풍경)

**서래**
(소리)
원하던 대로 운명하셨습니다.

C# 43

43) 디졸브되면 같은 앵글이지만 서래의 시점으로
바뀐다. (VFX)

**서래**
(소리)
그 벌레가 떨어져 죽으면……
**해준**
(소리)
……터진 머리에서
이만 마리 황금색 파리 떼가……

조용한 구소산. 바람 소리. 벌레들이 윙윙대는 소리.

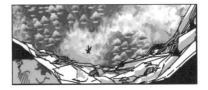

| 81 | D / M | L / O | 14:30 / 08:30 | setup 41 |
|---|---|---|---|---|
| | 구소산 | | 기도수 사고 당일 서래의 행적을 추적하는 해준, 진실을 깨닫는다. | |

**C# 44**

44) 도수 눈에 와 앉는 금파리 한 마리.

**서래**
(소리)
······ 날아올라 비로소 세상을 향해······
**해준**
(소리)
······흩어진다.

C# 1

1) (앞 씬의 파리를 내려다보는 건가 싶게) 고개 푹 숙이고 아래 보는 해준.

도어락 비번 누르는 소리를 듣는다.

문 열리는 소리. 현관 센서등 껌뻑거린다.

돌아본다.

C# 2

2) 지친 모습의 서래, 거실로 들어오다가 소파에 앉은 해준을 본다.

C# 3

3) 서래 표정이 환해진다.

C# 4

4) 1) 연결. (화면 밖에서) 서래가 거실 등을 켜 화면이 밝아진다.

**C# 5**

5) 3) 연결. 뒤늦게 현관 바닥의 등산화를 의식하고
돌아보는 서래.

**C# 6**

6) 서래 시점 - 등산화.

**C# 7**

7) 2) 연결. 서래, 해준 옆에 가 앉는다.

해준, 일어나 1인용 소파로 간다.

**C# 8-1**

8-1) 서래 시점 - 팔걸이에 걸쳐 놓은 해준의 등산용
바람막이. 해준 손 프레임인, 바람막이 주머니에서
지퍼백을 꺼낸다.

C# 8-2

8-2)  지퍼백에서 할머니의 전화기를 꺼내 커피 테이블에 올려놓는 해준.

**해준**
(생각할수록 어이없다는 듯)
높은 데 무섭다면서요?
너무 지혜로우셔서 산 싫어한다면서요?

전화기로 줌인 -

'138층'이란 글자를 내려다보는 서래.

**해준**
(소리)
이게 지혜입니까?

서래, 꿀 먹은 벙어리.

C# 9

9)  7) 연결.
**해준**
왜 그렇게 맞으면서, 무슨 가축처럼 몸에 낙인까지
찍혀 가면서도
경찰에 신고를 안 해요!
(거의 고함)
왜 경찰을 안 믿어요!
**서래**
중국 돌려보낸다고…….

C# 10-1

10-1)
**해준**
그래서 남편한테 협박 편지를 보냈어요?

가위로 종이 오리는 소리 선행.
카메라 이동 -

**C# 10-2**

10-2)  멀리 식탁에 앉은 서래가 드러난다.
(회상)

해준이 고개 돌려, 흰 종이에 프린트한 문장을 가위로
자르는 서래를 본다.

**서래**
(소리)
언제 와도 올 편지였어요, 뇌물 다 진짜니까.

**C# 11**

11)  회상 - 흰 종이에 프린트한 문장들을 빨간
편지지에 풀로 붙이는 서래의 손.

**C# 12-1**

12-1)  10) 연결. 서래에서 해준으로 포커스
이동하면서 카메라 이동.

**해준**
기도수가 출입국외국인청에
보낸 편지도 썼겠네요?
봉투에 적힌 주소랑 이름은 자필 맞던데,
어떻게 했어요?

| 82 | N / D | S | 20:00 / 14:00 | setup 23 |
|----|-------|---|---------------|----------|
|    | 서래 아파트 | | 진실을 털어놓는 서래. 배신감에 떠나는 해준 | |

C# 12-2

12-2) 해준 뒤로 거실과 주방을 분리하는 문이
닫히기 시작한다.

(회상) 패닝하면 –

문 닫는 도수.

TV 장식장의 오디오 시스템을 향해 가는 도수를 따라
계속 패닝.

C# 13

13) 회상 – LP 트는 도수.

C# 14-1

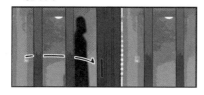

14-1) 회상 - 주방 쪽에서 중간문을 바라본 앵글.
문 너머 실루엣으로 보이는 도수, 소파로 가 앉는다.
말러 음악이 시작된다.

C# 14-2

14-2) 근경으로 프레임인하는 서래의 손, 장갑을 낀다.

카메라 후진하면서 드러나는 서래, 식탁으로 걸어간다.
식탁 위 도수의 서류 가방.
서래, 몰래 편지 봉투를 꺼낸다.

C# 15

15) 회상 – 편지 클로즈업. 하늘색 봉투.
겉에 자필로 적힌 발신인(기도수)과
수신인(출입국·외국인청의 심사국장)의 주소와 이름.

봉투의 풀 붙은 뚜껑을 조심조심 여는 서래, 내용물을
미리 준비한 것과 바꿔치기한다.

**서래**
(소리)
남편이 쓴 변명을 고치기만 했어요,
유서 느낌 좀 나게.

16) 회상 - 14) 연결.
다시 풀로 붙인 다음 가방에 넣는다.

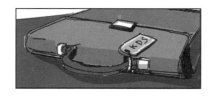

가방으로 줌인.

KDS라고 각인된 가죽 태그가 손잡이에 달렸다.

말러 음악 끝난다.

17) 10)의 시작과 같은 앵글/사이즈.

**해준**
수완이가 폭력 썼다는 것도
사실이 아니겠네요?

카메라 패닝하면 -

회상 - 수완이 소파에 누워 자고 있다.
근경에, 쓰러지는 스탠드.

18) 회상 – 소파에서 자고 있는 수완.
서래가 의자들을 넘어뜨리고 스탠드를 밀어서
깨뜨린다.
**서래**
(소리)
경찰이 술 먹고 여자 집에 오면, 폭력 아닌가요?

C# 19

19) 17)의 시작과 같은 앵글/사이즈.
해준, 얼굴 문지른다.

C# 20

20) 제 전화기를 몰래 켜는 서래 손, 녹음 버튼을
누른다.

틸트업 –

해준 눈치 보는 서래.

**해준**
(소리)
사진 태우고, 내가 녹음한 파일 다 지우고……
그것도 참 쉬웠겠네요?

C# 21

21) 서래 시점 – 양손으로 제 얼굴을 잡고 아래를 보던
해준, 카메라를 향해 –

**해준**
좋아하는 '느낌만 좀' 내면 내가 알아서
다 도와주니까?

일어서는 카메라(서래).

C# 22

22) 빈 화면, 일어서면서 프레임인하는 서래.

패닝 -

서래, 해준 의자 뒤에 가 서서 허리를 굽힌다. 해준 목을 양팔로 감싸며 -

**서래**
우리 일을 그렇게 말하지 말아요.

카메라 붐다운, 해준 얼굴도 프레임인된다.

**해준**
우리 일, 무슨 일이요?

서래 가만히 있는다.

**해준**
내가 당신 집 앞에서 밤마다 서성인 일이요?
당신 숨소리를 들으면서 깊이 잠든 일이요?
당신을 끌어안고 행복하다고 속삭인 일이요?

마지막 문장을 듣고 해준을 더 강하게 안는 서래.

부드럽지만 단호하게 서래의 팔을 풀고 일어서는 해준,
의지를 돌아 그녀에게 간다.

패닝/붐업, 해준을 따르느라 서래를 잠시 놓치는
카메라.

카메라 전진.

해준이 서래를 향해 다가가자 서래가 다시 프레임인된다,
해준을 향해 돌아선 상태.

**해준**
내가 품위 있댔죠?
품위가 어디서 나오는 줄 알아요? 자부심이에요.
난 자부심 있는 경찰이었어요. 그런데……

C# 23

23) 소파 등받이를 꽉 쥐는 해준의 오른손. 서래의 왼손이 다가와 잡는다. 해준, 손을 빼지도 마주 잡지도 않는다.

C# 24

24) 서래 어깨너머 해준.

**해준**
여자에 미쳐서 수사를 망쳤죠.

C# 25

25) 해준 어깨너머 서래. 놀랐다가 만족했다가 미안해지는 표정.

C# 26

26) 24) 연결. 카메라 전진.
해준, 고개 숙인 채 -

**해준**
나는요…… 완전히 붕괴됐어요.

C# 27

27) 25) 연결. 말을 못 알아들어서 미간을 찌푸리는 서래.

**C# 28**

28) 22) 연결. 서래가 한 걸음 다가오자 고개 드는 해준, 자기도 반 걸음 나선다.

둘이 아주 가까워지는데 카메라는 후진.

**해준**
할머니 폰 바꿔 드렸어요, 같은 기종으로.
전혀 모르고 계세요.
저 폰은 바다에 버려요.
깊은 데 빠뜨려서 아무도 못 찾게 해요.

해준, 프레임아웃. 혼자 남은 서래.
문 열리고 닫히는 소리.

서래, 소파를 향해 프레임아웃한다.

카메라 계속 후진/틸트다운 –

소파에 앉은 서래가 다시 프레임인된다.

서래, 가만히 제 안에 들끓는 감정을 분석해 본다.

C# 29

29) 서래, 해준이 앉았던 의자를 본다.

C# 30

30) 서래 시점 - 의자 팔걸이에 걸쳐진 바람막이.

C# 31

31) 29) 연결. 서래, 전화기를 보며 글자를 입력한다.

C# 32

32) 서래 시점 - 네이버 국어사전에 '붕괴'를 입력했다.

C# 33

붕괴 崩壞 [붕괴/붕궤] 🔊
1. 명사 무너지고 깨어짐.

33) 서래 시점 - '무너지고 깨어짐'이라고 풀이된다.

C# 34

34) 31) 연결. 커피 테이블을 보는 서래.

C# 35

35) 서래 시점 - 유골함.

C# 36

36) 유골함 놓인 자리에서 본 서래, 렌즈를 응시한다.

망사로 된 붉은 보자기 레이어가 화면을 덮는다.
(VFX)

| 83 | D | L | 14:00 | setup 3 |
|---|---|---|---|---|
| | 바다 - 이포 | | 무기력하게 바다 낚시하는 해준, 아들 하주와 통화한다 | |

C# 1

1) 안개 낀 바다. 화면에 '海'와 '바다'가 동시에 필기체로 적힌다. 짙은 안개가 움직이자 가려져 있던 낡고 초라한 고깃배가 드러난다.

전화벨 울린다.

C# 2

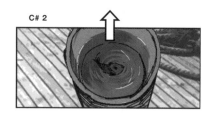

2) 플라스틱 양동이 속 작은 물고기 한 마리, 가만히 머물러 있다.

> **해준**
> (소리)
> 어이, 쭈쭈! 좀 말랐네?
> 서울도 여기처럼 화창하냐?

틸트업 -
낚싯대 드리운 해준, 휴일의 편한 복장. 아들과의 화상 통화.

> **하주**
> 미안, 집에 못 가서.
> 합숙 훈련 빠지면 대회 못 나가.
> **해준**
> 엄마한테 전화 좀 해, 말 안 해도 기다리셔.
> **하주**
> 아빠가 이포 간 다음부턴 나 안 찾거든?
> (웃다가 엄마 핑계 대는 아빠 맘 알아채고)
> 아빤 별일 없으세요?

살이 빠진 것 같기도 하고 늙어 버린 것 같기도 하다.
얼굴도 좀 탔다.

| 83 | D | L | 14:00 | setup 3 |
|---|---|---|---|---|
| | 바다 - 이포 | | 무기력하게 바다 낚시하는 해준, 아들 하주와 통화한다 | |

**C# 3**

3)

**해준**
이포에는 강력 사건이 안 일어나.
원자력 발전소라는 워낙 강력한 위험이
있어서 그런가.
**하주**
엄만 원전 완전 안전하댔는데.
아빠도 외워, 엄마원전 완전안전.
**해준**
엄마한텐 서울이나 부산이 훨씬 위험하지.
**하주**
내가 볼 땐 엄마 옆이 제일 위험해.

**C# 4**

4) 2) 연결. 갈매기 소리에 카메라 쪽을 돌아보는
해준.

| 84 | E | L | 17:00 | setup 6 |
|---|---|---|---|---|
| | 거실 - 정안 집 | | 석류 손질하는 해준과 정안 | |

C# 1

1) 해준 시점 – 석류 손질하는 정안.

**정안**
석류가 폐경 늦춰 주는 효과도 있다대?

C# 2

2) 아내 '옆에' 나란히 앉은 해준. 바닥에 엄청난 양의
석류를 쌓아 놓고 손질하는 부부. 서툰 정안, 능숙한
해준.

**해준**
안 하면 편한 거 아니야?

C# 3

3) 뚜껑 열듯이 석류 윗부분을 여는 정안의 손.

C# 4

4) 2) 연결.
**정안**
그렇긴 하지만…… 그래도…….
당신 오고부터 난 매일 집밥 먹고 석류 먹고
건강해지는 느낌인데
당신은 왜 이렇게 시들어 가지?
못 자서 그래?
**해준**
시들긴…… 석류냐?

해준 보는 정안.

**정안**
이 주임이 당신 사진 보더니 너무 달라졌다던데?
그 잘생긴 남자가 왜 이렇게 됐냐고…….
우울증 아니냐고…….
**해준**
(계속 일하며)
걱정하는 척 하면서 멕인다는 게 그런 거구나?

| 84 | E | L | 17:00 | setup 6 |
|---|---|---|---|---|
| | 거실 - 정안 집 | | 석류 손질하는 해준과 정안 | |

**C# 5**

5)

**정안**
중년 남성 오십육 프로가 우울증 고위험군이래.
(별 반응 없는 남편의 눈치를 슬쩍 보며)
이 주임 아는 남자가 자라 진액을 먹고
그렇게 효과를 봤다는데……
남성 호르몬에.

**C# 6**

6) 작업을 중단하는 해준, 굳은 표정으로 가만히
아내를 본다.

**C# 7**

7) 4) 연결. 눈빛을 읽는 정안, 비닐장갑 벗고 휴대
전화 들면서 일어선다.

정안, 프레임아웃.

**C# 8**

8) 칼집을 내놓은 석류를 쪼개는 해준의 손.

290

| 85 | E | L | 17:05 | setup 1 |
|---|---|---|---|---|
| | 고급 레지던스 호텔 | | 사철성에게 폭행당하는 서래 | |

C# 1

1) 로우앵글. 객실 내 빈 복도. 철썩 소리와 함께 복도 끝에서 서래가 쓰러지면서 모습을 드러낸다.
서래, 짧은 머리 가발을 썼다. (그림과 다름)

사철성도 프레임인해서 웅크린 서래를 발로 찬다.

실내로 달아나는 서래, 철성이 쫓아가면서 다시 빈 화면.

(대역에서 배우로 교체) 또 도망쳐 오는 서래.

쫓아온 철성이 머리끄덩이를 잡아 넘어뜨린다.

틸트업, (화면 밖 서래를) 내려다보는 철성.

| 86 | E | L | 17:10 | setup 4 |
|----|---|---|-------|---------|
| | 거실 - 정안 집 | | 이 주임에게 자라 취소 전화하는 정안, 해준이 불행해 보인다며 눈물을 글썽인다 | |

C# 1

1) 해준 시점 - 석류 단지에 부어지는 설탕.

C# 2

2) 해준, 나무 주걱으로 섞기 시작한다. 거실서 들리는 목소리.

**정안**
(소리)
이 주임, 미안한데 자라 지금 취소할 수 있어?
도저히 못 먹겠대······. 응, 그래 고마워.
대신 내가 석류청 한 단지 줄게, 내일 봐.

다시 와 앉는 정안.

C# 3

3) 1) 연결. 나무 주걱으로 석류와 설탕을 섞는 해준.

C# 4

4) 정안, 눈물이 글썽글썽.

| 86 | E | L | 17:10 | setup 4 |
|---|---|---|---|---|
| | 거실 - 정안 집 | | 이 주임에게 자리 취소 전화하는 정안, 해준이 불행해 보인다며 눈물을 글썽인다 | |

**C# 5**

5) 기척 느끼고 돌아보는 해준, 손을 조심스럽게 정안 어깨에 얹는다.

**C# 6**

6) 4) 연결.

**정안**
당신 이포 와 있어서 나는 행복한데…….

**C# 7**

7) 5) 연결.

**해준**
행복해, 나도.

**C# 8**

8) 6) 연결.

**정안**
당신은 살인도 있고 폭력도 있어야 행복하잖아.

**C# 9**

9) 7) 연결. 껄껄 웃다가 이내 어색해지면서 정안 어깨에서 손을 내리는 해준.
그 얼굴에 들리는 중국어.

**철성**
(소리)
남편 어딨냐고, 이 미친년아!
你老公在哪？臭娘们！
[ni lao gong zai na? chou niang men!]

C# 1

1) 철성, 서래의 따귀를 때린다. 휘청하지만 다시 바로
서는 서래. (서래 머리는 짧은 가발. 그림과 다름)

또 한 대 철썩. 나가떨어진다.

C# 2

2) 서래, 코피를 쓱 닦더니 노려본다.
중국어로 대화하는 두 사람.

**철성**
남편 어딨냐고, 이 미친년아!
你老公在哪? 臭娘们！
[ni lao gong zai na? chou niang men!]

**서래**
나 버리고 도망갔다고, 미친놈아!
那家伙把我扔下就跑了啊，你个王八蛋！
[na jia huo ba wo reng xia jiu pao le a,
ni ge wang ba dan!]

철성이 서래를 지나쳐 밀어짐에 따라 -
붐다운/틸트업.
몸을 돌리는 서래.
철성, 주변 돌아보며 명품 가방과 쇼핑백들 발로 차고
집어 던지며 -

**철성**
이거 다 뭔데? 남편 아니면 이거 다 어떻게 사?
니들 이러구 사는 동안
우리 엄마는 차라리 죽여 달라고 날마다 우서.
그 돈 있었으면 우리 엄마 진작 수술해서 다 나았어!
这都什么？要不是你老公，你拿什么买这些？
[zhe dou shen me? yao bu shi ni lao gong,
ni na shen me mai zhe xie?]
你们他妈买买买过得逍遥，
我妈天天哭着求我索性把她杀了。
[ni men ta ma mai mai mai guo de xiao yao,
wo ma tian tian ku zhe qiu wo suo xing ba ta sha le.]
要是那钱还在的话，我妈早就做了手术痊愈了！
[yao shi na qian hai zai de hua, wo ma zao jiu zuo le
shou shu quan yu le!]

| 87 | E | L | 17:15 | setup 8 |
|---|---|---|---|---|
| | 고급 레지던스 호텔 | | 위협적인 사철성에게 호락호락 당하지 않는 서래 | |

C# 3

3) 철성이 집어 던진 쇼핑백이 서래 앞으로 날아든다.

**서래**
(마음 약해져)
의사는 뭐래?
医生怎么说？
[yi sheng zen me shuo?]

C# 4

4) 손에 포크를 감추고 있는 서래에게 다가오며 -

**철성**
한 달도 못 버틴대.
说撑不过一个月了。
[shuo cheng bu guo yi ge yue le.]
(이 악무는 철성)
우리 엄마 돌아가시면 네 남편 새끼는…….
我妈要是走了，你那王八蛋老公……。
[wo ma yao shi zou le,
ni na wang ba dan lao gong……]

C# 5

말을 맺는 대신 또 서래의 따귀를 때리려고 손을
쳐드는 철성.

5) 3) 연결. 서래, 눈에 파란 빛이 번쩍 하더니 왼손에
감추고 있던 포크를 휘둘러 철성의 팔뚝을 사정없이
찍는다.

C# 6

6) 4) 연결. 비명 지르며 펄쩍 뛰는 철성.

C# 7

7) 철성 시점 - 한 줄로 맺힌 선명한 핏자국 세 개.

**C# 8**

8) 6) 연결. 철성, 누가 자기한테 덤볐다는 사실이
믿어지지 않는 표정으로 서래를 본다.

9) 서래, 일어선다.

붐업.

여기저기 터져 피 흘리는 얼굴을 들이대며, 가발을
벗는 서래. 핀을 여기저기 찔러 두피에 바짝 붙인 제
머리가 드러난다.

**C# 9**

**서래**
내가 딱 십 분만 참는댔지, 네 엄마 봐서.
我告诉过你我只忍十分钟吧？看你妈的面子。
[wo gao su guo ni wo zhi ren shi fen zhong ba? kan
ni ma de mian zi.]
(기가 막혀 또 손을 치켜드는 철성)
너 여자 때리고 다니는 거 엄마가 아셔?
네 별명이 뭔지 아셔?
이러라고 그렇게 힘들게 널 키우셨을까?
이혼한 화교 여자가
한국서 혼자 아이 키우고 사는 게
얼마나 좆같은 일인지 알아?
你到处打女人的事，你妈知道么？你外号叫什么，
你妈知道么？
[ni dao chu da nv ren de shi, ni ma zhi dao me?
ni wai hao jiao shen me, ni ma zhi dao me?]
舍辛茹苦把你养大，就为了让你活成这样吗？
[han xin ru ku ba ni yang da, jiu wei le rang ni huo
cheng zhe yang ma?]
一个华侨女人，离了婚，还自己带个小孩在韩国生活，
[yi ge hua qiao nv ren, li le hun, hai zi ji dai ge xiao
hai zai han guo sheng huo]
那日子得有多操蛋，你知道吗？
[na ri zi dei you duo cao dan, ni zhi dao ma?]

10) 철성, 울음이 터진다.
**철성**
엄마 돌아가시면 냉동실에 넣어 놓고
니 남편 죽인 다음에
장례 시작한다.
我妈要是走了，先放冷柜存着，
[wo ma yao shi zou le, xian fang leng gui cun zhe]
等我把你老公宰了再给我妈下葬。
[deng wo ba lao gong zai le zai gei wo ma xia zang]

**C# 10**

| 87 | E | L | 17:15 | setup 8 |
|---|---|---|---|---|
| | 고급 레지던스 호텔 | | 위협적인 사철성에게 호락호락 당하지 않는 서래 | |

**C# 11**

11) 질질 짜면서도 명품 쇼핑백들은 싹 챙겨서 나가는 철성.

풀썩 주저앉는 서래.

**C# 1**

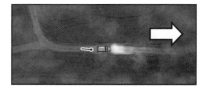

1) 자욱한 안개. 해준 차를 따라 이동하는 드론
카메라.

환하게 빛나는 비닐하우스 주위로 폴리스 라인이
쳐졌고 그 앞에 경광등 켠 경찰차.
경찰 몇이 손전등 들고 주변을 뒤진다. 사이렌 울리며
도착하는 경찰차도 있다.
구경하는 마을 사람들.

해준의 차가 도착한다.

| 89 | N | L | 21:00 | setup 3 |
|---|---|---|---|---|
| | 비닐하우스 - 자라 양식장 | | 자라 도난 사건 현장에 나온 해준과 연수 | |

C# 1

1) 사이렌 소리와 경광등 빛이 성가시게 파고든다.
우는 할머니 달래며 진술 듣는 연수. 꾸민다고
꾸몄지만 어쩔 수 없이 투박한 차림새.

**자라 할머니**
어떻게 키운 새끼들인데…….
자식보다 더 귀하게 키웠는데…….
**연수**
저희 팀장님이 엄청난 실력자시거든요?
뉴스에도 나오신 분이니까…….
(안에 들어서는 해준 보며 얼굴 환해지더니
쪼르르 달려가 심각한 얼굴로)
도난품은 자라 쉰여덟 마린데요…….

C# 2

2) 기대에 차 해준을 올려다보는 연수.

**연수**
피해액이 얼마나 될까요?

C# 3

3) 자라 소리를 듣고 약간 찡그리고 있던 해준,
'피해액을 내가 어떻게 아냐'는 표정으로 연수를 본다.

**자라 할머니**
(소리)
시가 삼백만 원 이상이야.

놀라서 돌아보는 연수.

C# 4

4) 2) 연결. 할머니, 언제 울었냐는 듯 빤히 바라본다.

**연수**
예에? 할머니, 뭐가 그렇게 비싸?

C# 5

5) 3) 연결. 우울하게 목소리로 보충 설명하는 해준.

**해준**
중년 남성 우울증에 좋대.

C# 6

6) 4) 연결.

**연수**
우와, 역시! 어떻게 그런 걸 다 아십니까?

C# 7

7) 5) 연결.

**해준**
나가서 사이렌하고 경광등 좀 끄라고 해.

연수, 프레임아웃한다.

C# 8

8) 6) 연결. 기대에 찬 눈으로 해준을 꾸준히 바라보는 할머니.

C# 9

9) 7) 연결. 괜히 주변을 둘러보는 해준.

**C# 1**

1) 〈적색비상〉 TV화면 – 컨트롤 룸. 깜빡이는 빨간 경고등.

TV프레임이 안 보일 때까지 카메라 서서히 전진.

(〈적색비상〉 C#1)

**C# 2**

2) 디졸브.

어두운 방. 흐트러진 자세로 소파에 비스듬히 누운 서래, '시마 스시' 도시락을 먹으며 멍하니 TV를 본다.

멍든 얼굴에, 핀들을 다 뽑은 채 엉클어진 머리. TV에서 나온 빨간 빛이 서래를 물들였다.

**C# 3-1**

3-1) 1) 연결. TV 화면 – 연기가 자욱하고 경고등 때문에 온통 시뻘건 화면. 천장에서 먼지와 콘크리트 덩어리가 떨어진다. 젊은 여성 지민이 쓰러져 있다. 방호복을 입은 소방관 고빈이 달려온다.

**C# 3-2**

3-2)  고빈, 무릎을 꿇고 지민을 안는다.

(드라마의) 핸드헬드 카메라가 마구 흔들리면서 접근한다.

(〈적색비상〉 C#2)

**C# 4**

4)  TV 화면 – 지민이 눈을 뜬다.
(드라마의 카메라, 줌인)

**지민**
바보 같이…… 오지 말랬잖아요…….
오면 죽는다고, 오지 말랬잖아요…….

고빈이 지민에게 방독면을 씌워 준다.

(〈적색비상〉] C#3)

TV 화면 – 고빈.
(드라마의 카메라, 줌인)

(〈적색비상〉 C#4)

**C# 5**

5)  드라마 속 고빈과 동시에 중얼거리는 서래.

**고빈/서래**
당신 만날 방법이
오로지 이거밖에 없는데 어떡해요…….

드라마 주제가가 시작된다.

**C# 6**

6) 테이블의 휴대 전화 두 개 중 하나가 울린다.
엎어 놓은 휴대 전화, 1부에서 많이 봐 우리가 잘 아는
케이스.

전화 오는 소리에 트래킹하면 –

새 전화기. 발신자 이름 없이 전화번호만 표시된 화면.
서래 손이 채 간다.

**C# 7**

7) 5) 연결. 전화 받는 서래.

> **호신**
> (소리)
> 얼른 짐 싸!
> **서래**
> 번호 또 바꿨어?
> **호신**
> (소리)
> 빨리 움직여!
> 철썩이가 너 있는 데 알아냈다고!

심드렁하게 초밥 먹는 서래, 전화로 제 얼굴을 찍는다.

**C# 8-1**

8-1) 엉망진창 얼굴 사진을 호신에게 보낸다.

> **호신**
> (소리)
> 그리구 다음 주쯤 중국 사람들 좀 만나 줘…….

| 90 | N | L | 21:30 | setup 7 |
|----|---|---|-------|---------|
|    | 고급 레지던스 호텔 | | 시마 스시를 먹으며 〈적색비상〉 보던 서래, 호신과 통화한다 | |

C# 8-2

8-2)

**호신**
(소리)
……그 사람들 당신 좋아하잖아.

C# 9

9) 7) 연결.

**호신**
(소리)
중국 쪽 안 뚫리면 나 정말 힘들어져.
어, 뭐 왔다……어?
(서래가 방금 보낸 사진을 보았는지
한숨을 푹푹 쉬며)
어후…… 아…… 이 씨……
벌써 다녀갔구나……. 에효……
누구 만날 얼굴이 아니네.
또 다친 데 없어, 몸에? 많이 아팠지? 미안해…….
사랑해…….
우리 사이 괜찮은 거지?
**서래**
사이는 됐고, 이사나 가자.
**호신**
(소리)
그래야지, 거긴 철썩이가 알아 버렸으니.
어디 가지?

생각에 잠기는 서래, 눈은 TV에.

C# 10

10) TV 〈적색비상〉 화면 – 이포원전 외경.

(〈적색비상〉 C#5)

| 91 | D | L | 15:00 | setup 3 |
|---|---|---|---|---|
| | 3층 복도 - 이포 경찰서 | | 해준을 찾아 이 방 저 방 기웃거리는 서래 | |

C# 1

1) 서래가 열린 문 너머로 보인다. 안 신던 힐을 신었다. 복도를 걷는 서래를 따라 패닝/트래킹.

누군가를 찾는 듯 이 방 저 방 기웃거리는 서래.

C# 2

2) 계단을 내려오는 서래.

결국 포기하고 벽에 기대서서 생각한다.

C# 3

3) 무심코 고개 돌렸다가 소화전의 붉은 램프가 눈에 띈다.

| 92 | D | L | 15:20 | setup 2 |
|---|---|---|---|---|
| | 여자 화장실 - 이포 경찰서 | | 화재경보기 아래 라이터를 갖다 대는 서래 | |

C# 1

1) 청소 도구 넣어 두는 커다란 녹색 플라스틱 양동이를 엎어 놓고 올라서는 서래.

C# 2

2) 서래, 화재경보기 아래 라이터 갖다 댄다.

| 93 | D | L | 15:22 | setup 2 |
|---|---|---|---|---|
| | 중정 - 이포 경찰서 | | 사이렌 소리에 건물 밖으로 나온 사람들, 해준과 연수도 있다 | |

C# 1

1) 사이렌 울리는 중. 웅성거리며 건물을 보는 사람들.
용의자에게 수갑 채워 나온 경관도 있다. 해준과
연수만 동떨어졌다.

**경찰1**
저거 연기지?
**경찰2**
안갠지 연긴지…….

C# 2

2) 사이렌 종료. 투덜거리며 들어가는 사람들.
어떤 이들은 "나온 김에……."라고 중얼거리며 담배를
꺼낸다. 해준/연수를 비롯한 몇 명만 남고 다 들어간다.

| 94 | D | L | 15:25 | setup 3 |
|---|---|---|---|---|
| | 3층 복도 - 이포 경찰서 | | 사람들 틈에서 해준을 발견하는 서래, 관찰하며 스마트워치에 녹음한다 | |

C# 1

1) 프레임인하는 서래, 중정을 내려다본다.

C# 2

2) 서래 시점 – 패닝/줌인.

안개가 자욱해서 사람들 식별이 쉽지 않은데도 끝내
해준을 찾아낸다. 옆에서 담배 피우는 여자도.

C# 3

3) 서래, 눈을 가늘게 하고 탐욕스럽게 관찰한다.
스마트워치에 대고 중국어로 녹음하는 서래.

자막 – '구두 신었네?'
穿了皮鞋啊？
[chuan le pi xie a?]

| 95 | D | L | 15:28 | setup 4 |
|---|---|---|---|---|
| | 중정 - 이포 경찰서 | | 담배 피우는 연수를 기다려 주는 해준, 3층 창에서 뭔가 본 것 같은 기분이 든다 | |

C# 1

1) 입에 담배 물고 주머니 뒤지는 한 남자 형사에게 불을 붙여 주려고 먼저 다가가는 연수.

그러나 일부러 더 멀리 있는 다른 사람에게 가 불 빌리는 남자 형사.

돌아오는 연수.

C# 2

2) 이런 일에 익숙한 연수, 갑자기 관심을 해준에게 돌려 -

**연수**
사람들 말이, 우울증 걸려 가지고 일루 오셨다고…….
범인 자살하는 거 못 막아서.
(해준이 휙 고개 돌려 저를 보자
기어들어가는 소리로)
하지만 이제 완쾌하셨다고…….
**해준**
근데 왜 아직도 우울해 보이냐?
(연수, 끄덕.
해준, 먼 산 보며 무성의하게)
못 자서 그래, 못 자서.
**연수**
담배도 안 태우면서 왜 안 들어가십니까?
왕따라고 배려해 주십니까?

딴 데 정신 팔려 상대 말을 안 듣는 해준, 3층에서 뭔가 본 것 같은 기분이 든다.

| 95 | D | L | 15:28 | setup 4 |
|---|---|---|---|---|
| | 중정 - 이포 경찰서 | | 담배 피우는 연수를 기다려 주는 해준, 3층 창에서 뭔가 본 것 같은 기분이 든다 | |

**C# 3**

3) 해준, 눈 가늘게 뜨고 3층 창을 주시한다.

**C# 4**

4) 해준 시점 – 안개 너머로 보이는 빈 창.

| 96 | N | L | 23:00 | setup 4 |
|---|---|---|---|---|
| | 침실 / 테라스 - 펜션 | | 침대에서 담배 피우는 서래에게 밖에서 피우라고 잔소리하는 호신.<br>밖으로 나가는 서래, 스마트워치에 녹음한다 | |

C# 1

1)  디졸브. 침대 머리판에 등 기대고 누워 담배 피우며 생각에 잠긴 서래, 파자마 차림.

줌아웃 – 통유리창에 반사된 모습이다. (그림과 다름)

욕실에서 이 닦으면서 나오는 호신이 프레임인한다. 상반신 탈의한 상태.

**호신**
아, 좀 나가서 피우라고…….
(서래가 나가자 뒤에 대고 큰 소리로)
사랑해!

| 96 | N | L | 23:00 | setup 4 |
|---|---|---|---|---|
| | 침실 / 테라스 - 펜션 | | 침대에서 담배 피우는 서래에게 밖에서 피우라고 잔소리하는 호신.<br>밖으로 나가는 서래, 스마트워치에 녹음한다 | |

C# 2

2) 롱패딩만 걸치고 테라스로 나오는 서래, 프레임인.
담배 연기 뿜으면서 통유리창 너머로 남편을 물끄러미
본다.

C# 3

3) 서래 시점 - 밖이 어두워 거울이 되어 버린
창 앞에 선 호신, 제 몸을 이리저리 구석구석 보아 가며
이 닦는다.

C# 4

4) 호신 너머로 멀리 어렴풋이 보이는 서래,
스마트워치를 입에 대고 뭐라고 말한다.
창에 막혀 들리지는 않는다.

**C# 1**

1) 해준 시점 – 천천히 움직이는 해파리 한 마리를 따라 패닝하면서 줌아웃하면 –

의사가 프레임인된다. LED 패널로 이루어진 벽 앞에 앉은 의사.

**의사**
······막 범인 놓치고 뭐 그런 스트레스 요인들이
수면 장애로 나타나는 거예요.

**C# 2**

2) 해준 부부. 해준은 의사보다 해파리에 더 정신이 팔린 것 같다.

**의사**
(소리)
우선 할 수 있는 건
런치 전에 삼십 분간 일광욕인데요.
옷은 입어도 되는데 반드시 눈은 뜨고······.
**정안**
선생님.

**C# 3**

3) 1) 연결. 말 끊는 보호자에게 놀란 의사.

**C# 4**

4) 2) 연결.

**정안**
이포에 개업한 지 얼마 안 되셨죠?

C# 5

5) 3) 연결. 의사가 어버버 한다.

C# 6

6) 4) 연결.

**정안**
여긴 아침에 해 없어요, 안개 때문에.

C# 7

7) 5) 연결.

**의사**
(입술 깨물고 생각 좀 해 보더니)
여기누 물은 나오죠?
취침 전에 족욕하시고,
도파민 처방해 드릴 테니까 드셔 보세요.
그래도 효과가 없으면
여기 와서 하룻밤 주무시면서 정밀 검사…….

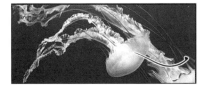

벽면의 동영상으로 초점 이동하면서 해파리 한 마리로
줌인/패닝.

C# 1

1) 디졸브. (VFX)
얼음 더미 위에 누운 뿔돔들.

정안의 손이 들어와 만진다. 비늘도 쓸어 보고 눈알도
꾹꾹 눌러 본다.

C# 2

2) 뿔돔 시점(어안렌즈) – 눈알에서 손가락을 떼는
정안, 두리번거리며 어물전 구경.

주인에게 질문하는 해준은 진지하고 아무 생선이나
만지작거리는 정안은 그저 행복하다.

생선 안 만진 깨끗한 왼손으로 해준의 재킷을 더듬는
정안, 찾는 물건이 어느 주머니에 들었나 여기저기
겉에서 만지고 손 넣어 본다.
기다려 주는 해준.

C# 3

3) 해준, 무심코 눈 돌렸다가 얼어붙는다.

C# 4

4) 남자와 함께 걷는 서래를 따라 측면 트래킹.
고급 옷에 보석을 착용하고 화장한 서래, 해준을 보고
당황하지만 계속 걷는다.

C# 5

5) 서래, 재빨리 호신의 손을 찾아 잡는다.

C# 6

6) 3) 연결. 서래가 호신의 손을 잡는 모습을 보는
해준.

C# 7-1

7-1) 남편의 몸이 경직되는 것을 느끼고 그의 시선
방향을 보는 정안.

두 부부 사이 거리가 점점 가까워진다.
뒤따르는 카메라. 동시에 줌인.

C# 7-2

7-2)  당황한 와중에도 해준은 호신을 관찰한다.

C# 8

8)  손 잡고 다가오는 서래와 호신.

C# 9

9)  7) 연결.

해준
여긴…….

C# 10

10)  8) 연결. 멈춰 서면서 서래, 상대가 말
시작하자마자 거의 동시에 –

서래
이사 왔어요.

C# 11

11)  신경질적으로 톤이 높아져 –

해준
왜요?

C# 12

12) 해준, 세 사람이 일제히 자기에게 시선을
집중하자 얼버무리려 -

**해준**
이 동네 뭐 볼 거 있다고…….

C# 13

13) 정안, 해준에서 서래로 시선 옮긴다.

**서래**
(소리)
안개 좋아해요.

우향 패닝해서 -

**서래**
(정안에게 목례하며)
송서래입니다,
중국인이라 한국말이 부족합니다.

좌향 트래킹/줌아웃해서 -

호신까지 프레임인된다.

**서래**
(궁금해 죽겠는 호신에게)
여보…….

320

C# 14

14) '여보'에 마음 무너지는 해준.

**서래**
(소리)
……그 형사님이셔, 나 의심했던.

C# 15

15) 얘기 많이 들었다는 듯 해준 향해 손 내미는 호신.
한 발 나설 때 동시에 줌 인.

**호신**
아…… 제가 그 다음 남편입니다, 임호신입니다.

C# 16

16) 14) 연결.

**해준**
(마주 잡으며)
장해준입니다.

C# 17

17) 15) 연결.

**호신**
이포엔 어쩐 일로……?

C# 18-1

18-1) 뭐라고 답해야 할까 싶어 아내를 돌아보는 해준.

18-2) 카메라 후진해서 정안, 프레임인된다.
남편 주머니에서 물티슈를 찾아 꺼내기 시작한다.

카메라 좌향 이동.
서래의 반응을 살피는 정안을 향해 줌인.

19) 정안 시점 - 표정 굳은 서래.

패닝 -

서래와 눈 마주치고 난처해지는 해준.

**해준**
(호신, 서래, 정안을 차례로 보며)
저도 이사 왔습니다,
와이프 직장 있는 데로.

20) 11) 연결. 남편에게서 고개 돌려 호신과 서래를
향해 -

**정안**
안정안이에요.

물티슈로 오른손을 마저 꼼꼼히 닦고 서래에게 악수
청한다.

**C# 21**

21) 의심에 찬 정안, 서래를 빤히 보며 –

**정안**
안개는 사람들이 여길 떠나게 하는 이유지,
오게 하는 이유는 아닌데.

**C# 22**

22) 마주 잡고 손 흔드는 서래.

**정안**
이 동네 곰팡이를 겪어 보셔야…….

서래, 알쏭달쏭 미소.

**C# 23**

23) 남몰래 한숨 쉬는 해준.

**C# 24**

24) 해맑은 호신.

**C# 25**

25) 네 사람의 손 클로즈업이 빠르게 이어진다 –
네 개의 결혼반지.
서래 부부의 반지에만 큰 보석들이 박혔다.

정안의 결혼반지.

**C# 26**

26) 해준의 결혼반지.

**C# 27**

27) 서래의 결혼반지.

**C# 28**

28) 호신의 결혼반지.
한 손으로 손가락 관절을 우두둑 꺾는 호신.

**C# 29**

29) 20) 연결.

**호신**
사실은 여기 원전 때문에 왔습니다.

이번엔 정안이 놀랄 차례.

**정안**
예? 왜요?
**호신**
〈적색비상〉이라고,
고빈이 원전 사고 수습하는 드라마 있잖아요?
그 촬영지 보겠다고 중국 여자들이 무지하게 오는데
이 사람이 관광가이듭니다.

| 98 | N | L | 18:00 | setup 30 |
|---|---|---|---|---|
| | 어물전 - 재래시장 | | 시장에서 마주치는 해준, 정안 부부와 서래, 호신 부부 | |

C# 30-1

30-1)

**정안**
그걸로 돈벌이 하신다는데 이런 말씀 좀 뭣하지만
그렇게 근거 없이 원전 공포 팔아먹는 드라마는
저희로선 참 곤란해요.
**해준**
이 사람 직장이거든요,
이런 문제에 좀 예민합니다.
사실 원전완전안전하거든요, 하하…….

해준을 향해 빠른 줌인.

C# 30-2

C# 31

31) 해준 시점 -

**호신**
아, 그러세요…….
(손으로 두 여성을 가리켜 가며)
어쨌든 두 여성분이 같은
직장이라고 볼 수 있겠네요, 하하하.

서래와 정안을 번갈아 보며
웃으면서도 빠른 곁눈질로 해준을
살피는 호신. 좌우 패닝하다가
서래에서 끝.

C# 32

32) 정안, 아무도 안 웃는데도 전혀 개의치 않는 호신의
얼굴을 물끄러미 보더니 드디어 생각났다는 듯 -

**정안**
주식 티브이 나오셨죠?
**호신**
그렇죠, 주식 애널리스트.
항문 좋아하는 애널리스트 아니고요.

역시 아무도 웃지 않는다. 또 손가락 관절 꺾는 호신,
버릇인가 보다. 어색한 정적이 흐르는 동안 서래를 향해
아주 천천히 패닝/줌인. 침묵이 불편해진 정안, 괜히
한마디.

**정안**
티비보다 젊어 보이시네요.
**호신**
동안 비결은 매일 아침 수영이고요…….
(자기 명함 내밀며)
투자 비결이 궁금하시면 언제든 전화 주십쇼.

호신과 정안이 명함 주고받으며 대화하는 동안 해준을
보는 서래.

서래를 향해 패닝/줌인.

**정안**
(소리)
제 명함은 평범해요.

카메라 좌향 이동.

C# 33

33) 해준, 마주본다.
서래의 짧은 머리를 유심히 보는 해준.

정안/호신의 대화 소리가 줄어든다.
해준의 숨소리만 들린다.

C# 34

34) 32) 연결. 가발이 신경 쓰여 손으로 머리를 쓸어
정리하는 서래.

구두를 향한 서래 시선.

서래의 숨소리만 들린다.

C# 35

35) 33) 연결. 시선을 의식하고 -

**해준**
어기신 띌 일이 없어서요.

해준의 숨소리만 들린다.

C# 36

36) 34) 연결. 끄덕이는 서래.

서래의 숨소리만 들린다.

C# 37

37) 호신의 말을 듣는 척하지만 정안의 관심은 서래에게.

정안의 숨소리만 들린다.

C# 38

38) 정안에게 떠들다가 한 번 힐끔 해준을 곁눈질하는 호신.

호신의 말소리 대신 숨소리만 들린다.

C# 39

39) 희미한 미소를 띠고 차분하게 해준만 보는 서래.

서래의 숨소리만 들린다.

C# 40

40) 구두 신은 해준, 하이힐 신은 서래.

C# 1

1) 양동이에 담긴 온수로 족욕 중. 온도계를 물에 담그는 해준의 손.

C# 2-1

2-1) 팬티 바람으로 변기에 앉은 해준, 온도 확인하고 만족한다.

휴대폰으로 글을 읽는다.

욕조 물에서 정안의 머리가 거품을 뒤집어쓰고 천천히 올라온다. 수중에서 생각을 많이 한 듯 얼굴의 거품을 걷어내면서 -

> **정안**
> 이쁘데, 그 여자?
> **해준**
> 으음 뭐…… 그 녹색 옷은 이쁘더라.
> **정안**
> 파랑 아녔어?
> **해준**
> 거기 불빛 땜에 그랬나……. 그러거나 말거나.
> **정안**
> 남편이 죽어서 혼자된 중국인 아내…….
> 내가 그 사건 들었던가?
> 조선족 아내가 자살해서
> 혼자된 늙은 남편 얘기는 들었는데.
> **해준**
> 있었지, 그런 사건.

전화기에서 눈 떼지 않고 대답하는 해준.
눈 뜨고 남편 관찰하는 정안.

| 99 | N | L | 22:00 | setup 5 |
|---|---|---|---|---|
| | 화장실 - 정안 집 | | 해준이 족욕하는 동안 거품 목욕 중인 정안, 서래를 언급한다 | |

C# 2-2

2-2)

> **정안**
> 결국 남편이 범인이었나?
> **해준**
> 아니, 내가 괜한 사람을 의심했더라고.
> **정안**
> 아까 그 여자도 의심했다며.
> **해준**
> 응, 근데 남편이 자살했더라고.
> **정안**
> 괜한 사람 의심 많이 하네, 당신?
> **해준**
> 그러니까 사람들이 우리를 싫어하지.

C# 3

3)

> **정안**
> 우리?

C# 4

4) 정안 시점 - 정안을 돌아보는 해준.

> **해준**
> 경찰.

C# 5

5) 거실 소파에 벗어 놓은 정안의 겉옷과 속옷들, 그 위에 둔 휴대 전화가 진동하지만 아무도 못 듣는다.

카메라 전진/틸트다운 -

저장되지 않은 번호.

| 100 | N | L | 22:10 | setup 1 |
|---|---|---|---|---|
| | 이포대교 | | 찬바람 맞으며 휴대전화를 귀에 대고 있는 호신, 상대가 받지 않자 신경질적으로 끊는다. | |

**C# 1**

1) 찬바람 맞으며 휴대 전화를 귀에 대고 있는 호신, 상대가 받지 않자 신경질적으로 끊는다.

카메라 후진.

다리 위를 걷기 시작하는 호신 옆으로 차가 휙 지나간다.

빠른 페이드아웃.

| 101 | D | L | 09:30 | setup 4 |
|-----|---|---|-------|---------|
| | 입원실 - 병원 | | 어떤 할머니를 열심히 간병하는 서래 | |

C# 1

1) 수액. 뒤에서 반짝이는 크리스마스 트리 불빛.

C# 2

2) (우리가 처음 보는) 할머니의 침을 닦아 주는 서래.

C# 3

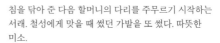

3) 협탁 위 꽃병에 빨간 장미 다발.

초점 이동 -

침을 닦아 준 다음 할머니의 다리를 주무르기 시작하는 서래. 철성에게 맞을 때 썼던 가발을 또 썼다. 따뜻한 미소.

| 101 | D | L | 09:30 | setup 4 |
|---|---|---|---|---|
| | 입원실 - 병원 | | 어떤 할머니를 열심히 간병하는 서래 | |

C# 4

4) 종아리를 열심히 마사지하는 손.
할머니의 발가락 3개가 잘려 나가고 없다.

C# 1

1) 식사 준비하는 해준의 손, 막 죽인 새끼 방어의 배를 가르고 내장을 꺼낸다.

전화 울리는 소리에 패닝하면 -

발신인은 '여연수 경사'

C# 2

2) 휴대 전화를 들여다보는 해준.

**해준**
여보, 전화 좀.

양손에 피가 묻어 못 받는다고 몸짓하는 해준.

정안이 프레임에 들어와 전화 받으면서 또 나간다.

해준, 아내가 통화하는 사이 생선 손질을 더 한다.

**정안**
(소리)
여보.

고개 드는 해준.

| 102 | D | L | 14:00 | setup 4 |
|------|---|---|-------|---------|
|      | 주방 - 정안 집 | | 요리 중인 해준 대신 전화 받는 정안. 살인사건이 났다는 소식 | |

C# 3

3) 생선 손질하는 해준 손 너머로 정안.

**정안**
축하해…….

C# 4

4) '무슨 소리지?' 표정 해준.

C# 5

5) 3) 연결.

**정안**
……살인 사건이래.

C# 6

6) 4) 연결. 허리를 펴고 똑바로 서는 해준.

C# 1

1) 현관에 서서 운동화에 비닐 커버를 씌우는 해준,
빠른 걸음으로 실내로 들어선다.

해준을 뒤따르는 카메라. 연수가 마주 온다.

연수, 해준 옆을 따라 걸으며 브리핑한다.
둘은 넓고 쾌적한 거실을 통과해 테라스로 나간다.
여기는 풀빌라 형태의 펜션이다.

**연수**
사망 추정 시각 십일 시, 스물한 군데 찔렸습니다.
최초 발견자는 부인인데, 데려올까요?

분주한 감식반원들을 피해 가며 수영장을 빙 도는
해준.

멈춰 선다.

접근하는 카메라.

C# 2

2) 해준, 무표정.

C# 3

3) 1) 연결. 고개를 조금 기울인다.

C# 4

4) 디졸브. 옥외 수영장의 계단에 앉은 호신, 고개를 조금 기울였다. (VFX)

윗입술이 말려 올라간 이상한 표정이지만 분명히 이틀 전에 만난 임호신이다.
피부를 덮은 성에.

C# 5-1

5-1) 호신 시점 - 기울어진 앵글.
풀의 맞은편 끝에서 바닥으로 뛰어내리는 해준.

**C# 5-2**

5-2)　다가와 렌즈를 보는 해준. 가슴속에서 뭔가가 무너진다.
손가락 관절을 우두둑 꺾는 해준, 호신의 왼손을 본다.

**C# 6**

6)　해준 시점 - 호신의 왼손, 서래의 첫 남편이 쓰던 롤렉스를 찼다. 물론 유리는 새것으로 바뀌었지만.

**C# 7**

7) 5) 연결. 해준, 우선 인공 눈물을 꺼내 제 눈에 넣은 다음 고인의 뜬 눈을 마주 본다. 냉정한 얼굴로 관찰하는 해준, 약간 고개 갸우뚱하며 '그럴 리가 없는데……' 표정.

뒤로, 뛰어내리는 연수 보인다. 얼음 깔린 바닥에 미끄러져 허우적거리다 겨우 중심 잡는다.
해준, 손목시계를 세 번 탭하고 -

　　　　　　　**해준**
　　　범인이…… 왼손잡이…….
　(스마트워치가 아니라는 사실을 깨닫고 연수에게)
　　　　　　　　적어.

연수, 수첩에 '왼손잡이'라고 적으며 -

　　　　　　　**연수**
　　　어떻게, 피가 이거……
　이렇게 찔렸는데 이렇게 깨끗하네요?
　　　이런 현장 보셨습니까?

| 103 | D | L | | 14:30 | setup 6 |
|------|---|---|---|-------|---------|
| | 펜션 | | | 시신이 임호신임을 확인하는 해준, 서래를 찾는다 | |

C# 8-1

8-1)  연수를 돌아보며 -

**해준**
송서래 어딨냐?
**연수**
예?
**해준**
부인 말야.

연수, 해변을 가리킨다. 그 방향으로 패닝.

C# 8-2

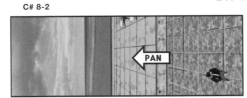

8-2) 바다가 보인다.

\* 로케이션 상황에 따라 C# 8-2 구현이 어려울 경우 대안 컷:

| 104 | D | L | 14:40 | setup 10 |
|------|---|---|-------|----------|
| | 펜션 앞 바닷가 | | 13개월 만에 단둘이 마주하는 해준과 서래.<br>해준은 서래가 살인 사건의 용의자일 거라 의심한다 | |

C# 1

1) 해준, 삐죽삐죽한 바위 위를 위태롭게 걷는다.

비닐 커버를 신경질적으로 벗기고 또 간다.

C# 2

2) 분노로 이글거리는 해준.

C# 3

3) 해준 시점 - 해무에 가려 어렴풋하게 보이는
서래의 뒷모습.

순경 지혁이 거수경례한다.

| 104 | D | L | | 14:40 | setup 10 |
|---|---|---|---|---|---|
| | 펜션 앞 바닷가 | | | 13개월 만에 단둘이 마주하는 해준과 서래.<br>해준은 서래가 살인 사건의 용의자일 거라 의심한다 | |

C# 4

4) 해준 시점 - 서래, 스마트워치에 대고 중국어로 뭔가 말하고 있다.

C# 5

5) 순경 지혁에게 가 보라고 손짓하는 해준.

C# 6

6) 서래가 돌아본다.
창백한 안색, 습기 때문에 얼굴에 달라붙은 (진짜) 머리카락, 눈에는 눈물이 가득.

C# 7

7) 해준, 멈춘다.

줌인 -

해준은 그녀가 끔찍하다, 무시무시한 살인범임을 확신하는데도 너무나 사랑스러워서.
감정을 꾹꾹 누르며 -

**해준**
이럴려구 이포에 왔어요?
여기서 죽이면 내가 또 눈감아 줄 것 같아서?
내가 그렇게 만만합니까?

| 104 | D | L | 14:40 | setup 10 |
|---|---|---|---|---|
| | 펜션 앞 바닷가 | | 13개월 만에 단둘이 마주하는 해준과 서래.<br>해준은 서래가 살인 사건의 용의자일 거라 의심한다 | |

C# 8

8)

**서래**
내가 그렇게 나쁩니까?

서래의 눈을 들여다보다 못 견디고 감아버리는 해준.

해준의 발을 내려다보는 서래.

C# 9

9) 해준의 운동화.

C# 10

10) 마음을 단단히 먹고 눈 뜨는 해준.

**해준**
송서래 씨 잘 들으세요.
이번 알리바이는요, 차돌처럼 단단해야 할 겁니다.

홱 몸을 돌려 펜션으로 돌아가는 해준의 뒷모습을
가만히 바라보는 서래.

C# 11

11) 3) 연결. 혼자 남는 서래. 바다에서 불어온 바람에
머리가 날려 얼굴을 가린다.

C# 1

1) 거울에 비친 해준과 연수. 연수는 화장대를 뒤지고, 해준은 옷장을 뒤진다.

**해준**
배수관이나 환기 장치까지
샅샅이들 뒤지라고 해.
부인이 범인이라면
흉기를 집안에 감췄을 확률이 커.

실물 연수로 패닝/초점 이동.

**연수**
부인이 범인이라고 생각하십니까?
왜죠? 침입 흔적과 도난 물품과 결박흔이 없어서?
정면에서 충동적으로 찔렀으니까 면식범에 의한
원한 관계 살인으로 보여서?

질문하면서 가는 연수를 따라 카메라 후진하면 실물
해준이 프레임인 된다.

**연수**
부인이 별로 놀라거나 슬퍼하는 거 같지 않아서?
**해준**
그거는 사람마다 슬픔이 파도처럼…….
(반사적으로 '물에 잉크가 퍼지듯이…….'
얘기를 하려다 말고)
넌 왜 나한테만 그렇게 의문문을 남발하니?
딴 사람한텐 안 그러면서.
(얼굴 벌게져서 입 꾹 다무는 연수)
사건으로 만났던 여자야, 작년 부산에서.
그때도 남편이 죽었어.

C# 2

2)

**연수**
(해준을 돌아보며)
저분이 죽었어요?

C# 3

3) 1) 연결.

C# 4

4) 2) 연결.

**연수**
······저분이 범인이었나 하는 질문이
갑자기 생각나가지구······.

C# 5

5) 3) 연결.

**해준**
자살로 종결됐는데 여기서 또 남편이 죽은 거야,
내 관할에서.

C# 6

6) 4) 연결.

**연수**
저분, 오른손잡인데요.

C# 7

7) 5) 연결. 해준 너머로, 문가에 서래가 나타난다.

**해준**
그러니까 생각을 해야지,
어떻게 해서 저 여자가 범인인지.

C# 8

8) 6) 연결.
'무슨 억지지……?', 해준을 바라보는 연수.

C# 9

9) 7) 연결. 인기척을 느끼고 돌아보는 해준.
침실 앞 복도에서 서래가 이쪽을 들여다보고 섰다.
다 들었다.

C# 10

10) 8) 연결. 무안해진 해준.

C# 11

11) 9) 연결. 무표정으로 천천히 팔을 들어 옷장을
가리키는 서래.

**서래**
경찰서 가자는데……
핸드백 좀 꺼내도 될까요?

**C# 1**

1) 형사 하나가 커피를 타서 컵을 가지고 나간다.

연수, 임시로 설치된 모니터 테이블에서 해준과 서래가
대화하는 모습을 본다.

**해준**
(소리)
산책하다 만난 사람은 없어요?
**서래**
(소리)
네.

**C# 2-1**

2-1) 노트북 모니터에 뜬 캠코더1(와이드 앵글) 화면 –
해준과 서래. 급조된 티가 역력한 신문실.

**해준**
감시 카메라 없고 사람 안 다니는 길로만…….
전화기 두고 나와서 위치 추적도 안 되고.
알리바이를 입증할 길이 없네요?

옆 모니터로 패닝. 좌우로 분할되어, 캠코더2와 3이
찍은 영상이 나란히 보인다.
먼저, 캠코더2에 잡힌 서래.

**서래**
그러네요.

계속 패닝하면 –

캠코더3에 잡힌 해준.

**해준**
별로 걱정 안 되시나 봐요?

반대 방향으로 패닝 –

C# 2-2

2-2)　도로 서래, '그럼 뭐 어쩌겠냐' 표정.

다시 해준 모니터로 패닝 –

**해준**
남편이 누구한테 원한 산 일 없습니까?
남의 돈 끌어다 투자 많이 하셨다던데.
**서래**
(소리)
요즘 손실이 좀…….

C# 3

3)　신문실 내 실물 해준.

**해준**
그런 상황에 고급 펜션에 사시고.

C# 4

4)　신문실 내 실물 서래.

**서래**
돈 쓰는 걸 보여야 돈이 모인대요.

C# 5

5)　3) 연결.

**해준**
(답답하다는 듯 약간 톤이 올라가서)
왜 그런 남자하고 결혼했습니까?

C# 6

6) 4) 연결.

**서래**
(눈에 힘주고 똑바로 보면서)
다른 남자하고 헤어질 결심을 하려고, 했습니다.

C# 7

7) 5) 연결.

**해준**
(시선 회피)
이포엔 무슨 연고가 있어서 오셨나요?

C# 8

8) 6) 연결.

**서래**
연고가 없어서 왔습니다.
있으면 빚쟁이가 찾아내죠.

C# 9

9) 7) 연결.

**해준**
사랑이 아닌 이유로 선택한 남편이고,
그 남편이 여기저기서 협박을 받고,
그러다 죽고.

C# 10

10) 서래 시점 - 부산에서와 비슷하게 탁자의 사각 쟁반에 단정하게 놓인 티슈와 물주전자와 머그컵과 텀블러.

**해준**
(소리)
작년하고 똑같네요?

**C# 11**

11) 8) 연결.
쟁반에서 해준으로 시선 바꾸는 서래.

**서래**
(눈 동그래져)
예?
그 남편은 자살이고
이 남편은 피살인데요?

**C# 12**

12) 9) 연결.
'이 여자를 이길 순 없나 보다' 한숨 쉬는 해준.
답답하다는 듯, 앉은 채 바퀴를 굴려 자리를 옮긴다.

**C# 13**

13) 연수의 모니터 - 서래와 해준이 나란히 보이는
분할 화면.

해준이 자리를 옮기면서 해준 화면에서는 프레임아웃.

서래를 찍는 카메라 바로 앞으로 의자를 밀고 와
일어서는 해준, 렌즈를 등으로 가리면서 먹통 화면으로
만든다.

C# 14

14) 한숨 쉬는 연수.

C# 15

15) 실물 해준, 서래를 내려다보며 -

**해준**
좋아요……. 두 남편이 한 형사의 관할 지역,
그것도 멀리 떨어진 관할 지역에서
자살하거나 살해됐어요.
누가 이렇게 됐단 얘길 들었다면 난 이럴 거 같아요.
"거, 참 공교롭네……."
송서래 씨는 뭐라고 할 것 같아요?

C# 16

16) 13) 연결. 텅 빈 해준 화면, 시커먼 서래 화면.

C# 17

17) 실물 서래, 더 이상 담담할 수 없게 -

**서래**
참 불쌍한 여자네.

C# 18

18) 14) 연결. 픽 웃는 연수.

351

**C# 19**

19) 서래 시점 - 말문 막히는 해준.

**C# 20**

20) 16) 연결. 제자리로 돌아오는 해준.

양쪽 화면이 다 제대로 보인다.

캠코더1 화면이 뜬 모니터로 패닝.
순경 지혁이 비닐봉지를 갖고 들어와 탁자에 놓는다.

**C# 21**

21) 음식 냄새를 맡은 서래, 기대에 차서 이번엔 뭘
먹이려나 살핀다. 실망한다.

| 106 | N | S | 17:30 | setup 12 |
|---|---|---|---|---|
| | 신문실 / 탕비실 - 이포 경찰서 | | 임호신 사망 관련해서 서래를 신문하는 해준 | |

**C# 22**

22) 서래 시점 – 삼각김밥과 떡볶이를 늘어놓는 지혁.

틸트업.

음식에 아무 관심 없는 해준, 휴대 전화로 서래 얼굴을 갑자기 찍는다.

C# 1

1) 젊은 남자 시점 - 손에 들린 해준의 전화기.
전 씬에서 해준이 찍은 서래 사진을 확대한 상태.
기침이 터져나오면서 크게 흔들리는 화면.

C# 2

2) 마루에 걸터앉은 젊은 커플이 서래 사진을
들여다본다. 해준과 연수가 마당에 서서 기다린다.
연신 기침하는 젊은 남자로부터 전화기를 빼앗아
들여다보는 젊은 여자.

**젊은 여자**
옷은 이거 아니고 파란 원피스였어요, 코트도 없이.
목책 넘어서 해녀불턱까지 내려가더라구요.
추운데, 위험한데, 왜 저러나 그랬죠.
**해준**
파랑 맞아요? 녹색 아니고?

확실하다는 듯 끄덕이는 젊은 여자.

**연수**
혹시 사진 찍은 거 없으세요?

각자의 휴대 전화 열어 보는 젊은 커플.
해준, 젊은 남자가 너무 콜록거려 신경 쓰인다.

여자가 자기 전화를 내민다. 해준이 받고 연수가 와
들여다본다.

C# 3

3) 해준 시점 - 목책에 기대어 바다 배경으로
찍은 셀피. 커플 너머로 청록색 원피스 입은 여인의
옆모습이 조그맣게 보인다. 사진 확대하는 손가락.

| 107 | N | L | 20:00 | setup 5 |
|---|---|---|---|---|
| | 해녀불턱 민박 | | 임호신 사망 시점에 서래를 목격한 젊은 커플의 사진 속에 서래가 찍혀 있다 | |

**C# 4-1**

4-1) 얼굴은 흐릿하지만 실루엣이 영락없는 서래다. 오른팔을 앞으로 내민 상태에서 정지.

**C# 4-2**

오전 11시 08분

4-2) 틸트업. 찍힌 시각은 오전 11시 8분.

**C# 5**

5) 해준, 미간을 찌푸린다.

**연수**
사망 시각이네. 그럼 송서래 알리바이 확인된 거죠?
**해준**
이 사람이 송서래가 맞다면.
**연수**
에? 이거 빼박인데요?
(고집스레 입을 꾹 다물고 인정하지 않는 해준)
뭐 하는 걸까요?

**C# 6**

6) 2) 연결. 젊은 커플과 연수가 동시에 팔을 뻗으면서 사진 속 여인의 자세를 흉내 낸다.

C# 1

1) 팔을 뻗어 초인종을 누르는 해준.

문 열린다. 해준, 움직이지 않는다.

C# 2

2) 서래, 반갑고 떨리는 눈빛.

C# 3

3) 1) 연결. 그럴수록 공격적이 되는 해준.

C# 4

4) 2) 연결. 서래 얼굴에서 웃음이 사라진다.

C# 5

5) 3) 연결.

**해준**
진짜, 이 동네에 왜 왔어요?
**서래**
(소리)
왜 자꾸 물어요?
내가 여기 왜 왔는지 그게 중요해요, 당신한테?

해준, 쓱 들어간다.

C# 6-1

6-1)  해준, 서래를 지나쳐 막 들어간다.

돌아보는 서래, 화면 밖 해준에게 –

**서래**
그게 왜 중요한데요?

해준을 따라가는 서래를 따라가는 카메라.

**C# 6-2**

6-2) 아무리 따라다녀도 해준이 답해 주지 않자 -

**서래**
당신 만날 방법이 오로지
이거밖에 없는데 어떡해요!
**해준**
(못 들은 사람처럼 바쁘게 행동한다)
해녀불턱 산책할 때 무슨 옷 입었어요?
**서래**
(제 몸을 가리키며)
이거요.
**해준**
거짓말. 청록색 원피스 어딨어요?
녹색으로 보였다 파랑으로 보였다 하는 거.
시장에서 만났을 때 입었잖아요,
반짝이는 단추 달리고.

**C# 7**

7) 서래, 눈 반짝이며 -

**서래**
자세히도 봤네요?

**C# 8**

8) 서래를 두고 두리번거리며 멀어지는 해준.

**해준**
샅샅이 뒤졌는데…….

성큼성큼 다용도실로 간다.

**C# 9**

9) 세탁기 안에 위치한 카메라.
세탁기 들여다보는 해준.

C# 1

1) 계기반과 모니터로 둘러싸인 거대한 공간.
카메라를 등지고 일하는 정안.
(VFX 로 벽 높이 연장)

교대하러 출근하는 동료, 퇴근 준비하는 정안의 책상에
신문을 툭 던지며 -

**동료**
봤어? 와 우리 동네, 살인 사건도 나고…….
빨리 화장실만.

동료가 다시 나간다.

C# 2

2) 여자 부하 직원이 돌아보며 정안에게 -

**부하 직원**
저 양반, 꼭 오 분 지각하면서 화장실은…….

동료가 놓고 간 지역 신문 「이포 매일」을 슬쩍 보는
정안.

C# 3

3) 이포 살인 사건 관련 기사가 눈에 띈다.

C# 4

4) 정안, 신문 집어 들어 펼친다.

C# 5

유명 주식애널리스트 임호신씨가
이포시의 한 펜션에서 살해된 채
발견됐다. 임씨는 증권전문방송과
유튜브방송 등을 통해 이름이
알려졌으나 불법으로 주식을
상장해 투자자들로부터
약 백억 원 가량을 빼돌린 혐의로 검찰에 기소된 상태
였다.

5) 신문 클로즈업.

C# 1

1) 야외 조명을 켜는 해준, 폴리스 라인 들추고 수영장 구역으로 간다.

서래는 창 앞에 서서 지켜본다.

둘러보다가 장갑을 끼는 해준, 구석에 놓인 바비큐 그릴의 뚜껑을 열어 본다.

C# 2

2) 까만 잿더미를 집게로 뒤적여 청록색 섬유 몇 올과 그을린 유리 단추 몇 개를 찾아낸다.

C# 3

3) 해준, 유틸리티 벨트에서 멀티툴을 꺼낸다.

**C# 4**

4) 멀티툴의 펜치로 단추를 집어 드는 해준.

**C# 5**

5) 3) 연결. 서래에게 단추를 보여 주는 해준,
증거물 봉투에 넣는다.

루미놀액 스프레이를 꺼내 바비큐 그릴 손잡이와 뚜껑,
불판에 뿌린다.

우두커니 바라보는 서래.

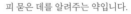

**해준**
피 묻은 데를 알려주는 약입니다.

해준, 서래 옆을 지나 프레임아웃.

야외 조명이 꺼진다.

**C# 6**

6) 뿌린 데마다 발광하는 루미놀.

C# 7

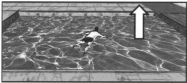

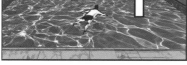

7) 플래시백 - 이포에서는 보기 드문 맑은 날, 수면이 반짝반짝.

엎드린 채 물에 둥둥 떠 있는 호신.
물은 온통 빨간색.

틸트업 -

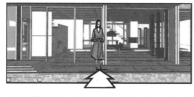

수영장 쪽으로 걸어오는 서래, 카메라도 전진. 코 막고 서서 광경을 보는 서래. 원피스의 청록색이 햇빛 아래서 거의 파랑으로 보인다.

**서래**
(소리)
산책하고 왔더니 피 냄새가 지독해서……

무서워하면서도 용기를 내 호신을 본다.

**서래**
(소리)
……당신 생각났어요.

C# 8

8) 배수 밸브 돌리는 서래 손.

**서래**
(소리)
당신이 와서 이걸 볼 텐데.

C# 9

9) 물 찬 수영장 안에서 본 모습, 서래 얼굴을 호신의 손이 가리고 있다.

**서래**
(소리)
당신이 무서워할 텐데.

화면에서 물이 빠져나가면서 서래 모습이 드러나고 호신의 손은 프레임아웃한다.
지켜보며 역겨워하는 서래.

**C# 10**

10) 현재. 서래를 보는 해준, 상상도 못했던 말을 들어 몹시 당혹스럽다.

**C# 11**

11) 바다 쪽에서 본 모습.
서래가 호신을 끌어올려 계단에 앉힌다.

**C# 12**

12) 서래 옷소매의 물에 젖은 크리스탈 단추가 반짝 빛난다. 호스의 레버를 당기는 서래.

**C# 13**

13) 물을 뿌리면서 차마 똑바로 호신 얼굴을 볼 수 없어서 외면하는 서래.

| 110 | N / D | L | 22:00 / 11:30 | setup 21 |
|------|-------|---|----------------|----------|
|      | 수영장 - 펜션 | | 루미놀 용액으로 살인 현장을 조사하는 해준.<br>사실대로 말해 주는 서래 | |

C# 14

14) 눈 감은 호신 얼굴에 물세례.
수압 때문에 얼굴이 흔들흔들.

C# 15

15) 배수구와 그 주변 바닥을 솔로 박박 닦는 서래.
핏물에 젖은 옷. 욕지기를 겨우 참는다.

C# 16

16) 솔질하는 서래 너머로 호신, 두 눈꺼풀이 천천히
올라간다. (고속촬영)

C# 17

17) 15) 연결. 문득 이상한 기척을 느끼고 돌아보는
서래.

C# 18

18) 호신 시점 - 놀랐다가 진정하는 서래.

**C# 19**

19) 원피스를 벗으면서 프레임인하는 서래, 바비큐 그릴에 옷을 집어넣는다.

**C# 20**

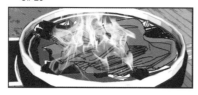

20) 피와 물로 젖은 원피스에 불이 붙는다.

**C# 21**

21) 물에 젖은 단추가 햇빛에 영롱하게 빛난다. 불꽃에 휩싸인 채로.

줌아웃 중에 주위가 어두워지면서 밤으로 돌아온다. 불길이 사그라든다. 옷은 재만 남았다. (VFX)

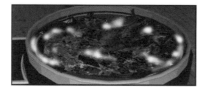

루미놀의 발광.

**C# 22-1**

22-1) 바비큐 그릴을 내려다보는 해준.

| 110 | N / D | L | 22:00 / 11:30 | setup 21 |
|---|---|---|---|---|
| | 수영장 - 펜션 | | 루미놀 용액으로 살인 현장을 조사하는 해준.<br>사실대로 말해 주는 서래 | |

**C# 22-2**

22-2) 서래를 돌아보며 –

**해준**
송서래 씨, 당신은 방금 살인 사건의 중요 증거를
없앴다는 사실을 인정했어요.
(카메라, 좌향 호형 트래킹)
임호신 살인 사건의 용의자로 긴급 체포합니다.
**서래**
(사태의 심각성을 잘 파악 못한 듯)
삼 일 있다 관광 가이드 일이 있는데
그때까지 풀려날까요?

**C# 23**

23) 어이없어 하는 해준, 서래에게 다가간다.
체포 처음 해 보는 형사처럼 '다음 절차는 뭐더라……?'
생각하다, 수갑을 꺼내면서 한 발짝 다가간다.

수갑에 충격을 받았지만 순순히 손 내미는 서래.
과잉 행동이란 생각이 드는지 수갑을 도로 넣는 해준의
어색한 동작.

| 111 | D | L | 14:00 | setup 1 |
|------|---|---|-------|---------|
| | 유치장 - 이포 경찰서 | | 보는 사람 없어도 꼿꼿한 자세의 서래 | |

C# 1

1) 지상층에 경찰이 지나간다.

틸트업 –

정복 차림의 간수가 감시 포인트에 앉아 꾸벅꾸벅
존다.

서래가 있는 철장으로 줌인.

철창 너머로 보이는 서래, 시간 보려고 왼손을
들었다가 시계가 없다는 것을 깨닫고 힘없이 내린다.

**서래**
(소리)
경찰이 남편 피를 밟고 다니는 게 싫었어요.

C# 1

1) 해준의 책상에 놓은 랩톱에 재생되는 서래의 신문 영상.

C# 2

2) 영상을 보는 해준과 연수. 재생을 멈추는 해준.

**해준**
믿어져?
**연수**
칠십 대 할머니가 있었는데요,
나갔다 와 보니 남편이 죽어 있는 거예요.
온 방에 피를 토하고.
할머니가 피 다 닦고,
하는 김에 아예 대청소까지 하고
할아버지 씻기고 때때옷 입혀서
곱게 눕혀 놓은 다음에 경찰 부르셨더라구요?

원통형 나무 필통에 꽂힌 까마귀 깃털을 빼 들고 손장난하는 연수. 연수의 말도 행동도 다 마음에 들지 않아 뚱해서 정지 화면을 응시하던 해준, 화면을 손가락으로 가리킨다.

C# 3

3) 탁자에 단정하게 올린 서래의 손목.

**해준**
(소리)
저 스마트워치 우리가 갖고 있지?
음성 파일 풀어.

C# 4

4) 2) 연결.

**해준**
중국어로 녹음했을 테니까 번역자 붙이고.

해준, 까마귀 깃털을 슬쩍 빼앗는다.

C# 5

5) 해준, 깃털을 필통에 도로 꽂아 놓는다.

| 113 | N | L | 22:00 | setup 3 |
|------|---|---|-------|---------|
|      | 수면 클리닉 | | 수면 클리닉에서도 잠 못 이루는 해준 | |

C# 1

1) 모니터룸. 의사가 모니터를 지켜본다.

C# 2

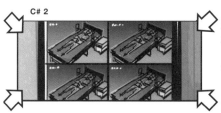

2) 모니터 – 4분할 화면. 3개의 방에 환자들.
그중 해준만 못 자고 뒤척인다.

해준 화면으로 줌인. (VFX)

C# 3

3) 몸 여기저기 전극을 붙이고 누운 실물 해준, 천장의
CCTV 카메라를 응시한다.

**조사관**
(선행하는 소리)
당신은 남성입니까?

| 114 | D | L | 10:00 | setup 1 |
|---|---|---|---|---|
| | 검사실 - 경찰청 | | 거짓말탐지기 검사를 하는 서래 | |

**C# 1**

1) 씬113의 3)과 매치되는 앵글/사이즈.
몸 여기저기 폴리그래프 센서를 붙이고 조사관과
마주 앉은 서래.

**서래**
아니요.

화면 좌측에서부터 그래프가 나타난다. 평탄하게
그려지는 서래의 신체 반응. (VFX)

| 115 | D | L | 10:01 | setup 2 |
|---|---|---|---|---|
| | 관찰실 - 경찰청 | | 서래의 거짓말탐지기 검사를 지켜보는 해준 | |

**C# 1**

1) 모니터를 응시하는 해준.

**조사관**
(소리)
당신은 사람을 죽인 적이 있습니까?

**C# 2**

2) 모니터 – 움직임이 적은 서래의 안구.
평탄한 그래프.

**서래**
네.

**C# 1**

1) 조금 놀라는 조사관, 평탄하게 그려지는 서래의 반응에 더 놀란다. 질문을 이어간다.

**조사관**
당신은 남편 임호신을 죽였습니까?

**C# 2**

2) 서래 시점 – 서래를 마주 보는 카메라.

**C# 3**

3) 모니터 – 움직임 없이 캠코더 렌즈를 정면 응시하는 서래.

**C# 4**

4) 씬115의 1) 연결.
서래의 답을 기다리는 해준.

**C# 5**

5) 3) 연결.

| 116 | D | L | 10:02 | setup 4 |
|------|---|---|-------|---------|
| | 검사실 - 경찰청 | | 거짓말탐지기 검사에서 임호신을 죽이지 않았다고 말하는 서래 | |

**C# 6**

6)

**서래**
아니요.

또다시 평탄한 라인. (VFX)

| 117 | D | L | 11:OO | setup 1 |
|------|---|---|-------|---------|
| | 경찰청 앞 | | 수갑으로 연결된 해준과 서래, 손잡은 연인처럼 보인다 | |

**C# 1**

1) 따뜻한 햇빛을 받으며 넓은 계단을 내려오는
해준과 서래. 손잡은 연인처럼 보이지만 수갑 위에
코트를 덮었을 뿐.

순찰차가 프레임인한다.

| 118 | D | S | 11:15 | setup 3 |
|---|---|---|---|---|
| | 경찰차 안 | | 불면증에 대해 얘기하는 해준과 서래 | |

C# 1

1) 뒷자리에 나란히 앉아 가는 해준과 서래.

**서래**
잠은 좀 잡니까?
**해준**
병원서 검사했는데 내가 한 시간에
마흔일곱 번 깼대요.
믿어져요?
**서래**
건전지처럼 내 잠을 빼 주고 싶네요.
**해준**
숨을 입으로 쉬어서 그렇다고,
(왼손을 들어 코로 가져가려다가 수갑으로 연결된
서래 손이 따라오자 그만둔다.
오른손으로 동작을 마무리하며)
잘 때 코로 숨 쉬게 도와주는 기계를 쓰래요.
그런 기계가 있대요.
('아, 그래요……?' 하듯 한 번 짧게 끄덕이는 서래)
이상해요, 깨 있을 땐 코로 쉬는데…….

C# 2

2) 스스로 코로 숨 쉬는지 관심을 가지고 숨을 쉬어
보는 해준.

C# 3

3) 서래도 마찬가지. 두 사람, 묘하게 템포가
일치한다.

C# 4

4) 1) 연결.

**해준**
그렇다고 잘 때 코 곤다는 건 아닙니다.
**서래**
알아요.

376

| 119 | D | L | 11:45 | setup 5 |
|---|---|---|---|---|
| | 이포 경찰서 앞 | | 서래 곁에서 잠들었던 해준, 연수한테 사건의 실마리를 듣는다 | |

C# 1

1) 담배 피우면서 기다리는 연수.

경찰차가 현관 앞에 와 서자 뒷문을 연다.

C# 2

2) 고개 푹 숙이고 잠든 해준.

C# 3

3) 놀라는 연수.

**연수**
팀장님.

C# 4

4)  2) 연결. 코골이 소리 멈춘다. 깨어나는 해준, 돌아보면 옆자리 서래는 말똥말똥. 게슴츠레한 눈을 하고 연수에게 -

**해준**
너 여기서 뭐하냐?

C# 5

5)  3) 연결. 연수가 깨 있는 차 안의 서래를 향해 턱짓한다.

C# 6

6)  4) 연결. 서래의 존재를 의식하는 해준, 수갑 푼다.

C# 7

7)  1) 연결. 해준, 차에서 내려 문 닫는다.

붐업. (유리 반사 VFX)

클리어 파일에 든 서류를 하나 건네 주며 조용히 말하는 연수.

**연수**
스마트워치 녹취록이구요…….

| 119 | D | L | 11:45 | setup 5 |
|---|---|---|---|---|
| | 이포 경찰서 앞 | | 서래 곁에서 잠들었던 해준, 연수한테 사건의 실마리를 듣는다 | |

**C# 8**

8) 해준의 몸을 보는 서래.
미세하게 줌인하는 카메라.

**C# 9**

9) 서래 시점 - 클리어 파일에 든 서류를 하나
주고받는 해준과 연수. 해준과 연수의 음성은 들리지
않는다.

**C# 10**

10) 8) 연결.

**C# 11**

11) 7) 연결.

**연수**
사건 전후로 펜션 근처에서 포착된 차 번호
다 확인하라고 하셨잖습니까.
그중에 임호신한테 사기당한 피해자가 있네요.
근데 이 사람, 폭력 전과 이 범입니다.
어떻게 생각하세요?

**C# 12**

12) 10) 연결. 줌인 계속되는 가운데 고개 돌려 제
정면 보는 서래.
음악 시작.

| 120 | D | L | 13:30 | setup 3 |
|---|---|---|---|---|
| | 화교 묘역 - 공원묘지 | | 어머니 장례 치르는 사철성을 지켜보는 해준과 연수 | |

**C# 1**

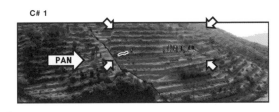

1) 음악과 함께 산 풍경.
흰 옷과 흰 두건을 하고 뛰는 남자를
따라 패닝/줌인.

화교 묘역에서 수십 명이 엉켜 드잡이가 한창이다.
검은 양복 위에 중국식으로 흰 옷과 흰 두건을 걸친
철성이 일꾼들 상대로 멱살 잡고 주먹질, 말리는
유족과 친구들.

**C# 2**

2) 하관 직전. 묘 안에 낮은 벽돌 벽이 사방으로
쳐졌다. 철성을 말리던 친구가 굴러 떨어진다. 그
바람에 드잡이를 멈추고 돌아보는 철성.

친구 손을 잡아 올려 준 다음 쌀을 뿌리기 시작한다.

**C# 3-1**

3-1) 빈 화면. 검은 재가
바람에 날린다.

패닝하면 가짜 지폐와 종이로
만든 저택을 태우는 철성의
왼손.

C# 3-2

3-2) 옆에 선 유족이 종이 아이폰을 넘겨주고 불도 붙여 준다.

이어서 다시 패닝하면 –

철성 얼굴, 울부짖는다.

**철성**
(중국어)
给我打电话，妈！
[gei wo da dian hua, ma!]

초점 이동, 해준과 연수가 뒤에서 지켜본다.

줌인 –

해준에게 귀엣말 –

**연수**
왼손잡이죠?

C# 1

1) 컵을 왼손으로 잡고 물을 꿀꺽꿀꺽 마시는 철성.
컵을 탁 내려놓고 긴 대사를 시작한다.

천천히 후진/줌아웃하는 카메라.

**철성**
이억 칠천, 우리 엄마가 포장마차 십 년 하다가
겨우 중국집 차려서 하루 열여덟 시간
장사해서 번 돈이에요. 그걸 임호신이한테 맡겼죠.
처음엔 천만 원만 넣었는데 꼬박꼬박 배당해 주니까
신이 나서 전 재산을 넣은 거예요.
그렇게 이 사람 저 사람 돈을 모아 가지고
전국 호텔을 다니면서 도박하고 지 마누라 옷 사 주고
빽 사 주고 돈지랄을 했다니까요, 백억을.
우리 엄마는 원래도 당뇨가 있었는데 돈 떼인 거 알고
무너져서 신장에 합병증 왔구요.
치료도 제때 못 받아서 발가락 다 잘랐잖아요.

울기 시작.

2) 마주 앉은 연수, 한숨 쉰다.
뒤에서 지켜보는 해준.

**철성**
(소리)
이혼한 화교 여자가
한국서 혼자 아이 키우고 사는 게
얼마나 좆같은 일인지 알아요?

3) 1) 연결.

**철성**
그런 엄마가 아파서 울부짖다가 돌아가셨는데,
제가 명색이 폭력 전과 이 범인데, 응?
제 별명이 왜 철썩인지 아세요?
철썩철썩 싸다구 잘 날려서 철썩인데요,
그런 제가 임호신 하나 못 죽이면
인간인가요, 아닌가요.

말을 마치고 해준과 연수를 번갈아 보는 철성.

C# 2

C# 3

**C# 4**

4)  2) 연결. 해준을 돌아보는 연수, 다시 철성을
노려본다.
잠시 침묵 후 –

> **해준**
> 송서래를 아십니까?

**C# 5**

5)  3) 연결.

> **철성**
> (눈물 훔치면서도 으스대며)
> 그 여자는 나를 무서워하죠.

**C# 6**

6)  회심의 일격을 날리는 해준.

> **해준**
> 송서래가 죽여 달라고 시킨 거 아닙니까?

**C# 7**

7)  5) 연결.

> **철성**
> (껄껄 웃고)
> 누가 시킨다고 일하는 사람 아니구요…….
> 송서래가 늘 도움은 됐죠.

**C# 8**

8)  6) 연결. 실망하는 해준.

> **철성**
> (소리)
> 걘 잘 모를 거예요, 어디로 도망가든
> 왜 나한테서 못 벗어나는지.

**C# 9**

9) 7) 연결. 철성, 자기 휴대 전화의 위치 추적 앱을
보여 주며 또 잘난 척 —

**철성**
폰에 위치 추적 앱을 깔아 놨거든요.

**C# 10**

10) 4) 연결. 팀장을 돌아보는 연수.
해준, 연수에게 턱짓한다.

연수, 아이패드를 돌려 깨끗하게 닦인 수영장과 시신의
사진을 보여 준다.

사진을 보려고 앞으로 몸을 기울이는 철성,
프레임인한다. 손가락 두 개로 사진 확대.

**C# 11**

11) 불쾌한 듯 얼굴 찌푸리는 철성.

**철성**
어우~ 왜 이렇게 앉혀 놨어요?
무섭다…….

**C# 12**

12) 확대된 사진.

틸트업 -

연수, '아 예 그러셔요……?' 표정으로 빤히 보다가
느닷없이 -

**연수**
야 이 개버러지 새끼야,
내가 호구로 보이냐?

| 122 | N | S | 20:00 | setup 3 |
|------|---|---|-------|---------|
| | 해준 차 안 - 도로 | | 서래를 귀가 조치시키는 연수. 퇴근길에 신고 무전을 받고 차 돌리는 해준 | |

C# 1

1) 연수 시점 - 카 스테레오로 말려 들으면서
안갯길을 운전하는 해준, 심란한 얼굴.

C# 2

2) 조수석에 앉은 연수, 눈치를 살피면서 조심스럽게 -

**연수**
아시죠? 철썩이 떠 보려고 일부러 윽박지른 거.
**해준**
(건조하게)
욕은 하지 마라.
나하고 계속 일하고 싶으면.
**연수**
옙. 범인 나왔으니까
송서래 씬 이제 귀가시켜야겠죠?
(홱 돌아보는 해준)
그런 생각이 듭니다만…….

다시 앞을 보며 입을 꾹 다물고 운전만 하는 해준.

C# 3

3) 지혁에게 서래 귀가 조치하라고 문자하는 연수.

경찰 무전 울린다.

C# 4

4) 2) 연결.

**경찰**
(소리)
이포교 삼타 마을 회관 방향
절도범 바이마로 매동 중인 풀밭.
종원 바랍니다.

유턴하는 해준.

C# 5

387

C# 1

1) 음악 계속. 좌회전하는 카메라 차, 안개를 뚫고
달린다.

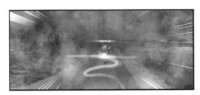

잠시 후 털털털 달려가는 오토바이를 발견한다.

오토바이와 헬멧에 요란한 불빛 장식들.

카메라, 잠시 따라간다.

맞은편에서 갑자기 헤드라이트가 켜진다. 오토바이,
핸들을 확 틀었다가 넘어진다.
오토바이 뒤에 달린 바구니에 든 커다란 자루 두 개가
길바닥에 내동댕이쳐진다.

길을 막고 선 헤드라이트 차에서 해준과 연수가
내린다.

논두렁으로 도망치는 십 대들. 쫓는 해준.

| 123 | N | L | 20:30 | setup 8 |
|---|---|---|---|---|
| | 도로 | | 자라 훔친 십 대들을 잡는 해준과 연수, 흩어진 자라들을 잡기 시작한다 | |

**C# 2**

2) 카메라 옆을 스쳐 화면 좌측으로 프레임아웃하는 십 대들.

차문을 쾅 닫을 때 해준을 향해 빠르게 줌인.

**연수**
지원 요청할까요?

대답 안 하고 뛰어서 프레임아웃하는 해준.

**C# 3**

3) 화면을 가로지르는 발광하는 헬멧 두 개. 돌부리에 걸렸는지 차례로 넘어지는 십 대들.

**C# 4**

4) 로우앵글. 멈추는 해준, 격투 자세를 잡는다.

| 123 | N | L | 20:30 | setup 8 |
|---|---|---|---|---|
| | 도로 | | 자라 훔친 십 대들을 잡는 해준과 연수, 흩어진 자라들을 잡기 시작한다 | |

**C# 5**

5) 하이앵글. 일어서는 십 대들, 해준을 향해 선다.

**C# 6**

6) 4) 연결. 억눌렀던 분노와 싸울 의지로 이글거리는
해준. 코트를 벗어 던지고 달려든다.

**C# 7**

7) 프레임인하는 해준, 달려든다.

재빨리 무릎 꿇는 두 소년. 그들 바로 앞에서
급정거하는 해준, 헬멧 벗는 십 대들.
해준, 맥 빠진다. 이때 외침.

**연수**
팀장님, 걔들 데리고 빨리 좀 와 보세요!

돌아보는 해준.

**C# 8-1**

8-1) 연수가 뿔뿔이 흩어진 자라들을 잡아 자루에
담고 있다.

C# 8-2

8-2) 해준, 두 소년을 몰고 뛰어온다.
모두 달려들어 자라를 잡는다.

**연수**
큰 놈부터! 승질 좆같으니까 손 조심하…….

C# 9

9) 말이 채 끝나기도 전에 해준, 손가락을 물린다.
비명. 해준 손가락을 물고 늘어진 자라.

| 124 | N | L | 20:35 | setup 1 |
|---|---|---|---|---|
| | 유치장 - 이포 경찰서 | | 유치장에서 풀려나는 서래 | |

**C# 1**

1) 근경에 서래. 철컹, 유치장 문이 열린다.

돌아보는 서래.

| 125 | N | L | 22:00 | setup 4 |
|------|---|---|-------|---------|
| | 거실 - 정안 집 | | 자라를 받아 귀가하는 해준. 심상치 않은 분위기로 앉은 정안 | |

C# 1

1) 씬82의 1)과 같은 사이즈. 어두운 실내. 숙이고 있던 머리를 드는 정안, 끼익 문 열리는 소리를 들었다.

C# 2

2) 씬82의 2)와 같은 앵글. 들어서는 해준, 소파에 앉은 정안을 발견하고 심상치 않은 기색을 느낀다. 리모컨으로 음악을 끄는 정안, 말러 교향곡이 뚝 끊긴다.

C# 3

3) 1) 연결. 정안, 해준 손을 본다.

C# 4

4) 정안 시점 - 해준 손에 들린 투명 비닐봉지, 자라가 들었다.

| 125 | N | L | 22:00 | setup 4 |
|---|---|---|---|---|
| | 거실 - 정안 집 | | 자리를 받아 귀가하는 해준. 심상치 않은 분위기로 앉은 정안 | |

**C# 5**

5) 3) 연결.

**C# 6**

6) 멋쩍은 얼굴로 -

**해준**
도난품 찾아 드렸더니…….

**C# 1**

1) 맘껏 바깥공기를 마시면서 인적 없는 백사장을 거니는 서래.

후진하는 카메라, 서래의 풀 숏 만든다.

파도에 쓸려온 대나무 장대를 주워 지팡이처럼 짚는다.

전화를 꺼내 들고 걸까 말까 망설이는 서래.

C# 1

1) 휴대 전화를 이미 테이블에 놓아둔 호신의 명함 (한껏 폼 잡고 찍힌 호신 사진이 인쇄돼 있다) 옆에 내려놓는 정안의 손. 액정에 찍힌 부재중 전화번호.

**정안**
(소리)
내 남편하고 아는 여자의 남편이
한밤중에 부재중 전화를 두 통이나 걸었다면…….

C# 2

2) 씬125의 5) 연결. 정안, 남편을 보지 않고 차분하게 말한다.

**정안**
……잘못 걸었나?
처음 본 유부녀한테 실없이 작업을 거나?
가볍게 넘어갈 수도 있겠지만
얼마 안 돼서 그 남자가 살해당했다면?

전화 진동 소리 선행.

C# 3

3) 씬125의 2) 연결. 발신자 이름을 힐끗 확인하고 안 받는 해준. 남편의 표정이 어색하게 굳었지만 정안은 역시 관심 없다.

**정안**
이유는 한 가지 같아,
이 남자가 당신하고 그 여자에 관해
나한테 할 말이 있었다.

비로소 해준을 돌아보는 정안.

C# 4

4) 정안 시점 - 해준의 오른손 집게손가락에 붕대가 감겨 있다.

C# 5-1

5-1) 소파에 앉는 해준.

**C# 5-2**

5-2) 거의 동시에 일어서는 정안. 놀라 올려다보는
해준.

**정안**
혹시 니가 죽였냐?

헛웃음 짓는 해준.

**C# 6**

6) 그러나 정안은 심각하다.

**정안**
둘이 같이 죽였냐?

**C# 7**

7) 어이없어 하는 해준.

**C# 1**

1) 상대가 받지 않자 쓸쓸히 전화 끊는 서래.

| 129 | D | L | 09:00 | setup 4 |
|------|---|---|-------|---------|
| | 주차장 - 원자력 발전소 | | 중국인 관광객들을 가이드하는 서래. 그녀를 발견하는 정안 | |

C# 2

1) 버스에서 내리는 관광객들을 맞이하는 서래,
〈적색비상〉의 주인공 지민처럼 색 있는 가발을 썼다.

초점 이동하면 −

정안의 차가 들어선다.

C# 2

2) 움직이는 차에서 본 앵글. 멈춰 서는 차.
멀리 보이는 원자로.

관광버스에서 내리는 사람들. 맨 먼저 내린 서래가
깃발을 들고 모두 하차하기를 기다린다. 손짓을 섞어 가며
말하는 서래. 헤드셋 마이크와 어깨에 멘 확성기.
중국인 관광객들, 원자로를 가리키면서 탄성.

우회전해서 주차하는 정안.

C# 3

3) 하차하는 정안, 계속 째려본다.

C# 4

4) 관광객들에게 설명하는 서래, 활력 넘친다.
카메라 조금 붐다운해서 로우앵글을 만든다.

| 130 | D | S | 09:05 | setup 2 |
|------|---|---|-------|---------|
| | 강력팀 사무실 - 이포 경찰서 | | 초췌한 몰골로 출근하는 해준, 임호신 명함을 연수에게 건넨다 | |

C# 1

1)  책상 앞에 앉아 일하다가 문 열리는 소리에
올려다보는 연수.

초췌한 몰골로 출근하는 해준, 연수의 책상 위에
명함을 올려놓는다.

**해준**
임호신 대포폰 번호야.

C# 2

2)  연수에서 틸트다운하면 임호신 사진이 박힌 명함.

**해준**
(소리)
사망 당일 위치 추적해.

| 131 | D | L | 09:10 | setup 2 |
|---|---|---|---|---|
| | 주차장 - 원자력 발전소 | | 중국인 관광객들에게 열심히 설명하는 서래 | |

C# 1

1) 서래, 화면 밖 건물을 가리키고 있다.

**서래**
(중국어로)
······직선과······
(우향우해서 원자로를 가리키며)
곡선의 대비를 특징으로 하는 건축인데요,
(좌향좌)
저 높고 단단한 콘크리트 덩어리가
낮고 늘 변화하는 바다와, 그리고 덧없는 안개와
또다시 대비를 이루는 겁니다.

반대 방향으로 몸을 돌리는 서래.

这是一座以直线和曲线对比为特征的建筑。
[zhe shi yi zuo yi zhi xian he qu xian dui bi wei te zheng de jian zhu]
那高耸而坚固的混凝土结构不但和水平面低、变化莫测的大海形成对比,
[na gao song er jian gu de hun ning tu jie gou bu dan he shui ping mian di, bian hua mo ce de da hai xing cheng dui bi,]
还和隐约缥缈、转瞬即散的雾气也形成对比。
[hai he yin yue piao miao、zhuan shun ji san de wu qi ye xing cheng dui bi.]
《红色警报》也正是将极其危险的核电站设施和
[<hong se jing bao> ye zheng shi jiang ji qi wei xian de he dian zhan she shi he]
在那里绽放的爱情这一鲜明的对比……
[zai na li zhan fang de ai qing zhe yi xian ming de dui bi……]

2) 약간 로우앵글. 사람들, 일제히 그쪽으로 몸
돌린다.

**서래**
(중국어로)
〈적색비상〉 역시, 극히 위험한 시설인
원자력 발전소와 거기서 피어난 사랑이라는
극명한 대조를······.

C# 2

사람들을 헤치고 앞으로 나와 설명을 이어가는 서래,
저 앞에 선 정안을 발견하고 가볍게 목례.

C# 1

1) 회전의자에 앉은 채 바퀴를 굴려 다가오는 해준.

동시에 카메라 후진 -

연수가 프레임인된다.
해준, 연수의 컴퓨터 모니터를 들여다본다.

**연수**
오전 열 시쯤 전원이 꺼지고요,
살해될 무렵 켜졌다가 금방 다시 꺼져요.
(지도를 가리키며)
그 잠깐 켜진 데가 바로 해녀불턱이에요.

C# 1

1) 해준 시점 - 바위 끝에서 바다를 향해 선 연수, 큰 소리로 카메라를 향해 외친다.

**연수**
주인이 집에서 죽는 동안에
왜 전화기가 여기 와서 켜졌다 꺼졌다 했을까요?

민박집 목격자가 찍은 사진 속 서래를 흉내 냅답시고
또 오른팔을 천천히 올리다가 중간에 멈춘다.

**해준**
(소리)
팔 더 들고 손 조금 올려 봐…….
아니, 손목을 꺾어서.

어떻게 해도 다르다.

C# 2

2) 해준, 갸우뚱.

C# 3

3) 1) 연결. "에이, 팔 아퍼", 오른팔을 풍차처럼 휘두르며 근육을 푸는 연수.

C# 4

4) 2) 연결. 해준 눈이 번쩍.

**해준**
스톱!!!

403

| 133 | D | L | 10:00 | setup 5 |
|---|---|---|---|---|
| | 해녀불턱 | | 잠수부 불러 임호신 휴대폰을 건져 내자는 해준에게 서래한테 집착한다며 반발하는 연수 | |

**C# 5**

5) 3) 연결. 뒤로 크게 돌렸던 팔을 앞으로 휘두르다가 딱 멈추는 연수, 서래의 것과 비슷한 자세가 된다.

틸트다운 -

해준 손에 들린 전화기. 젊은 커플이 찍은 서래 사진의 확대 이미지. 서래의 것과 비슷한 자세가 된다.

**C# 6**

6) 파도가 부딪치는 바위 위. 서둘러 연수 가까이 가는 해준.

**해준**
던졌네……. 잠수부 불러서 수색하자.

**C# 7**

7) 기막혀 하는 표정으로 돌아보는 연수에게 다가오는 해준, 프레임인한다.

**해준**
저기가 깊어?
**연수**
(참다 참다 폭발)
정신 차리세요. 우리, 범인 잡았습니다!
증거도 있고 자백도 받았고!
다만 피해자 부인이 왜 피해자의 폰을 버렸는지
그 의문 하나가 남은 건데 말입니다.
그거 알아내자고 세금을 씁니까?

| 133 | D | L | 10:00 | setup 5 |
|------|---|---|-------|---------|
|      | 해녀불턱 | | 잠수부 불러 임호신 휴대폰을 건져 내자는 해준에게 서래한테 집착한다며 반발하는 연수 | |

C# 8

8) 6) 연결. 파도가 거칠다. (VFX)

**연수**
제발 그 여자한테 그만 집착하십쇼.
불쌍하지도 않으세요?
혹시 중국 사람한테
무슨 편견 가지신 거 아닙니까?

C# 9

9) 파도가 철썩, 꿀 먹은 벙어리 된 해준의 얼굴에 물 튄다.

**C# 1**

1) 디졸브. 운전하는 해준.

잠시 후 정차.

실내등 켜고 서류 가방에서 클리어 파일을 꺼내는 해준, 읽는다.

2) 해준 시점 - 서래의 스마트워치 녹취록을 읽는다.
날짜와 시각을 표시한 숫자 옆에 적힌 중국어 원문,
또 그 옆에 번역문.
서래가 중국어로 말하는 소리가 낮게 깔린다.

화재 경보 울린 날에 녹음한 말 - '구두 신었네? 얼굴이
좀 탔다, 수염이 보이고. 아침저녁으로 면도하던
사람이…… 게을러진 걸까?'

**C# 2**

| | |
|---|---|
| 0:48:10.871 | |
| | 구두 신었네? 얼굴이 좀 탔다, 수염이 보이고. |
| | 아침저녁으로 면도하던 사람이....게을러진 걸까? |
| 0:48:24.286 | |
| | 힘이 없어 보이네…… 나를 못 만나서? |

| 134 | N | L | | 18:00 | setup 5 |
|---|---|---|---|---|---|
| | 해준 차 안 - 펜션 주차장 | | | 서래의 스마트워치 녹취록을 읽는 해준 | |

C# 3

3) 해준 시점 - '힘이 없어 보이네……. 나를 못 만나서?'

우향 트래킹해서 '(웃음)' 글씨가 프레임인된다.

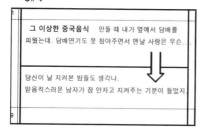

C# 4

4) 해준 시점 - 이 닦는 호신을 보며 담배 피울 때 한 말도 있다. '그 이상한 중국 음식 만들 때 내가 옆에서 담배를 피웠는데. 재는 담배 연기도 못 참아 주면서 맨날 말로만 사랑은 무슨……'

붐다운 -

'그가 날 훔쳐본 밤들도 생각나. 믿음직스러운 남자가 잠 안 자고 지켜 주는 기분이 들었지.'

C# 5-1

5-1) 해준 시점 - 줌인해서 '그가 온다.'가 화면에 꽉 찬다.

카메라가 아래로 -

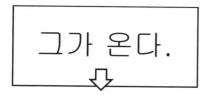

C# 5-2

5-2)  이어서 오른쪽으로 이동하면서, '오자마자, 이러려고 이포에 왔냐고 물을 텐데 뭐라고 하지?'를 한 단어 한 단어 읽듯이 훑는다.

**서래**
(소리)
그가 온다.

C# 6

6)  씬133의 9)와 같은 상황. 다음 씬 서래와 화면상 크기/위치 매치. 해준 얼굴에 물이 튄다.
짧은 숏.

C# 1

1) 앞 씬 마지막 숏의 해준과 같은 앵글. 바다를 향해 선 서래. 습기 때문에 얼굴에 달라붙은 머리카락 너머로 눈물.

카메라 후진 -

호신의 시신이 발견되어 출동한 해준이 서래를 만나러 모래사장을 가로질러 오고 있다. 지혁에게 가 보라고 손짓하는 해준. 그동안 그녀는 스마트워치에 대고 중국어로 말한다.

**서래**

그가 온다. 오자마자, 이러려고 이포에 왔냐고 물을 텐데 뭐라고 하지?
송서래, 왜 자꾸 눈물이 나고 난리야, 젠장.
답을 말해야 하나? 이미 그는 알지 않을까? 묻지 않을지도 몰라.

他来了。肯定一来就问我是为了这么干才来梨浦的吗？我该怎么说呢？
[ta lai le. ken ding yi lai jiu wen wo shi wei le zhe me gan cai lai li pu de ma?
wo gai zen me shuo ne?]
宋西莱，哭什么呀，嗯?……妈的！
[song xi lai, ku shen me ya, en?... ma de!]
告诉他答案吗？算了吧，也许他已经知道了吧？
也许他连问都不会问我。
[gao su ta da an ma? suan le ba, ye xu ta yi jing zhi dao le ba?
ye xu ta lian wen dou bu hui wen wo.]

해준이 도착한다. 서래가 돌아본다. 그녀의 뒷모습.

**해준**

이럴려구 이포에 왔어요?

| 136 | N | L | 18:20 | setup 2 |
|---|---|---|---|---|
| | 펜션 앞 | | 서래에게 전화를 걸어 임호신 휴대폰을 왜 바다에 버렸는지 묻는 해준.<br>문 열라고 두드리지만 펜션에는 아무도 없다 | |

C# 1-1

1-1)　씬134의 1) 연결. 녹취록을 놓고 하차하면서
전화 거는 해준.

카메라 후진/붐업.

해준, 굳은 결심이라도 한 양 성큼성큼 걷는다.

패닝 –

여기가 펜션 앞이라는 사실이 밝혀진다. 서래가 전화
받는다.

**서래**
(소리)
해준 씨.
**해준**
이제 남의 전화만 보면 다 바다에 던지고 싶어요?
(거칠게 초인종을 누르며)
그 전화에 뭐 들었어요? 대답해요!

해준에게 접근하는 카메라.

문을 쾅쾅 두드리는 해준.

**해준**
문 열어요, 빨리!
**서래**
(소리)
저, 거기 없는데요.

정신이 번쩍 드는 해준, 자리를 옮긴다.

| 136 | N | L | 18:20 | setup 2 |
|---|---|---|---|---|
| | 펜션 앞 | | 서래에게 전화를 걸어 임호신 휴대폰을 왜 바다에 버렸는지 묻는 해준. 문 열라고 두드리지만 펜션에는 아무도 없다 | |

C# 1-2

C# 2

1-2)

**해준**

그럼 어딘데요?

창을 통해 실내를 들여다본다.

**서래**

(소리)

호미산.

2) 어두운 실내에서 본 해준 풀 숏, 창에 바짝 붙어 안을 들여다본다. 주머니에서 맥라이트를 꺼내 이쪽을 비춘다.

C# 1

1) 발전소 내부. 묵직하고 불길한 발전기 소음.
짧은 숏.

C# 2

2) 디졸브. 앞 씬에서 맥라이트를 들고 실내를
들여다보는 해준의 정면 바스트 쇼트. 짧은 숏.
발전기 소음.

C# 3

3) 디졸브. 발전소 외경.
깜빡이는 항공장애 표시등. 짧은 숏.
발전기 소음.

C# 4

4) 바닷가의 안개와 어둠 속에 서 있는 원자력 발전소.

패닝하면 –

코너를 돌아 나타나는 해준의 자동차.

**해준**
(소리)
임호신 전화기에 뭐가 들었길래
바다에 버렸어요?

**C# 5**

5) 사이드미러에 비친 해준. 안개를 뚫고 과속, 아슬아슬.

충혈된 눈, 바짝 마른 입술을 꾹 다물고 운전하는 해준. 차체가 흔들린다.

**서래**
(소리)
조금만 더 참아요.
**해준**
(소리)
임호신이 내 아내한테 왜 전화했어요?

자동차 소음이 고조된다.
몰려와 차창에 부딪히는 안개.

**서래**
(소리)
졸지 말아요……. 조금만 더 참아요.
여기는 안개 없어요.

안개가 열어지더니 눈발이 비치기 시작한다. (VFX)
자동차 소음이 최고조에 이른다.

C# 1

1) 전 씬 마지막 숏과 같은 앵글/사이즈지만 차는 서 있고, 자동차 소음이 뚝 끊겼다.

바람에 실리지 않고 천천히 떨어지는 눈, 이포와는 달리 사물이 선명하게 보이는 맑은 공기.

문이 열리면서 거울에 비친 해준 얼굴이 사라진다. 문짝에 달려서 문짝과 함께 움직이는 카메라.

사이드미러에, 담배 피우고 선 서래 모습이 나타난다. 꽁초를 버리는 서래. (VFX)

C# 2

2) 해준, 내린다. 꽁초를 발로 비벼 끄는 서래. 중국 시절 머리와 비슷한 단발 가발을 썼다.

C# 3

3) 서래, 해준을 보고 반갑게 웃는다.

C# 1

1) 스테디캠. 산 오르는 해준, 잠시 걷다가 손전등을 치켜들고 나무와 바위를 본다.

**해준**
(소리)
솔직하게 말해 줘요.
임호신이 정안이하고 통화하려고 한 거
서래 씨도 알았죠?

C# 2

2) 해준 시점 – 무섭게 생긴 나무와 바위들.

패닝하면 –

배낭 메고 올라가는 서래, 헤드랜턴까지 준비했다.

C# 3

3) 1) 연결. 뒤따르는 해준, 서래 걸음이 이상하리만큼 빨라 애를 먹는다.

**서래**
(소리)
산 좋아하는 우리 엄마는 자주 말했어요,
내가 속상할 때마다.

C# 4-1

4-1) 2) 연결.

**서래**
(소리)
"한국 가면 네 산이 있다."

나무뿌리를 붙잡고 미끄러운 바위를 사뿐히 오르는 서래.

| 139 | N | L | 20:20 | setup 21 |
|-----|---|---|--------|----------|
|     | 호미산 | | 서래의 엄마와 외할아버지의 유골을 뿌려 주는 해준.<br>해준에게 재수사하라고 말하는 서래 | |

**C# 4-2**

4-2)  서래, 돌아서 카메라를 향해 손을 내민다.

**서래**
(소리. 중국어로)
"한국 가면 네 산이 있다."
"去韩国的话，你有一座山"。
[qu han guo de hua, ni you yi zuo shan.]

해준, 손을 뻗어 서래 손을 잡는다.

**C# 5**

5)  해준을 당겨 주는 서래의 뒷모습. 해준이 올라온다.

다시 빨리 걷는 서래, 카메라 옆을 지나 프레임아웃.

따라오는 해준, 프레임아웃.

C# 6

6) 멀리서 본 호미산. 두 개의 불빛이 꼬물거리며 올라간다.

**서래**
(소리. 한국어로)
누가 뭐래도 내 맘속에선 호미산은 내 산이에요.

C# 7

7) 시간 경과. 산중턱 좁은 평지에 나타나는 서래, 한가운데 바위에 앉는다.

서래, 배낭을 연다. 뒤늦게 나타나 바위 옆에 서는 해준.

C# 8

8) 서래, 배낭에서 골호를 꺼내 꼭 껴안는다.

**서래**
(골호를 향해, 중국어로)
엄마, 외할아버지……. 그동안 너무 무거웠어요,
妈妈，姥爷……。一直带着你们，实在太重了，
[ma ma, lao ye……. yi zhi dai zhe ni men,
shi zai tai zhong le.]
(가발을 벗으며)
이제 못 들고 다니겠네.
现在我再也背不动了。
[xian zai wo zai ye bei bu dong le.]
(머리핀들을 뽑으며)
믿음직한 남자 데려왔어.
今天我带了个可靠的男人来。
[jin tian wo dai le ge ke kao de nan ren lai.]

C# 9

9) 해준, 외국어지만 알아들은 것 같은 표정.

C# 10

10) 8) 연결. 해준에게 평지의 끝을 가리키며 항아리를 내민다.

**서래**
(한국어로)
뿌려 주세요. 난 고소공포가 있잖아요.

C# 11

11) 9) 연결. 해준, 움직이지 않는다.

C# 12

12) 10) 연결. 섭섭하지만 하는 수 없다고 생각하는 서래, 골호를 도로 내려놓더니 대뜸 -

**서래**
나는 왜 그런 남자들하고 결혼할까요?

C# 13

13) 7) 연결. 그걸 왜 나한테 묻느냐는 표정으로 보는 해준. 다시 앞을 보며 말하는 서래.

**서래**
해준 씨 같은 바람직한 남자들은
나랑 결혼해 주지 않으니까.

C# 14

14) 11) 연결. '바람직한' 대목에서 어처구니없어 픽 웃을 수밖에 없는 해준.

C# 15

15) 12) 연결.

**서래**
얼굴 보고 한마디라도 하려면
살인 사건 정도는 일어나야 하죠.

반응이 궁금하다는 듯 해준을 보는 서래.

C# 16

16) 14) 연결.

**해준**
(화가 치밀어)
지금 농담할 땝니까?

C# 17

17) 15) 연결.

일어서는 서래를 따라 틸트업 -

스마트폰의 통역 앱을 켜는 서래, 중국어로 말한다.
자조적인 표정은 사라지고 진지해졌다.

C# 18

18) 13) 연결.

**여자 성우**
(소리)
농담 안 할 테니까
해준 씨도 솔직히 대답해 주시기 바랍니다.
好，那我不开玩笑。那我希望你也诚实地回答我。
[hao, na wo bu kai wan xiao. na wo xi wang ni ye
cheng shi de hui da wo.]

호미산

서래의 엄마와 외할아버지의 유골을 뿌려 주는 해준.
해준에게 재수사하라고 말하는 서래

C# 19

19) 긴장하는 해준.

20) 해준을 향해 한 걸음 다가가며 중국어로 말하는
서래, 통역 앱 작동.

离开我之后，你没有觉得自己不幸吗？
[li kai wo zhi hou, ni mei you jue de zi ji bu xing ma?]
我猜你可能有种活着但又不像活着的感觉。
[wo cai ni ke neng you zhong huo zhe dan you bu
xiang huo zhe de gan jue.]

C# 20

21) 19) 연결.

**여자 성우**
(소리)
날 떠난 다음 스스로 불행하다고
느끼지 않으셨습니까?
아마 살아있는 느낌이 아니었을 것이라
짐작이 됩니다.

경직되는 해준.

C# 21

22) 20) 연결. 또 다가가며 중국어로 말하는 서래,
통역 앱 작동.

你一直没能舒舒服服睡过一个好觉吧？
就算闭上眼睛，我也就在眼前吧？
[ni yi zhi mei neng shu shu fu fu shui guo
yi ge hao jiao ba?
jiu suan bi shang yan jing, wo ye jiu zai yan qian ba?]

C# 22

23) 21) 연결.

**여자 성우**
(소리)
당신은 내내 편하게 잠을 한숨도 못 잤죠?
억지로 눈을 감아도 자꾸만 내가 보였죠?

중국어로 말하는 서래, 통역 앱 작동.

难道你不是吗？
[nan dao ni bu shi ma?]

**여자 성우**
(소리)
당신은 그렇지 않았습니까?

C# 23

**C# 24**

24) 22) 연결. 해준을 향해 한 걸음 더 다가오는
서래의 간절한 눈빛.
중국어로 말한 다음 앱 작동.

那天晚上，在市场上碰见我的时候，
是不是觉得自己又活过来了？终于。
[ na tian wan shang, zai shi chang shang peng jian
wo de shi hou, shi bu shi jue de zi ji
you huo guo lai le? zhong yu.]

**여자 성우**
(소리)
그날 밤 시장에서 우연히 나와 만났을 때,
당신은 다시 사는 것 같았죠? 마침내.

서래, 해준의 뺨에 손을 대고 중국어로 말한다.

现在我的手也挺软的吧？
[ xian zai wo de shou ye ting ruan de ba?]

**C# 25**

25) 해준, 서래가 말한 내용이 궁금하다.

**여자 성우**
(소리)
이제 내 손도 충분히 부드럽지요?

비로소 알아듣는 해준, 자기도 손을 들어 서래의 손을
감싼다. 감정이 주체가 안 되니까 막 눈물이 나려고
한다.

**해준**
지난 사백이 일 동안 당신을…….
(갑자기 중단,
심호흡 몇 번 하면서 마음을 고쳐먹고)
……그렇다고 해서, 난 경찰이고
당신이 피의자란 사실이 변하는 건 아니에요.
(필사적인 의지로 서래의 손을
제 얼굴에서 떼어 낸다)
피의자, 알죠? 경찰한테 의심받는 사람.

**C# 26**

26) 24) 연결.

**서래**
나 그거 좋아요.
편하게 대해 주세요, 늘 하던 대로…… 피의자로.

**C# 27**

27) 25) 연결. 해맑은 서래 표정에 당황하는 해준, 굳었던 결심이 도로 무너지려 한다.

**해준**
내가 서래 씨 왜 좋아하는지 궁금하죠?
아니, 안 궁금하댔나?
그래도 말하겠습니다,
서래 씨는요 몸이 꼿꼿해요,
긴장하지 않으면서 그렇게 똑바른 사람은 드물어요.
난 그게 서래 씨에 관해서
많은 걸 말해 준다고 생각합니다.

**C# 28**

28) 26) 연결. 서래 눈에 웃 읍기기 이린다.

**C# 29**

29) 27) 연결. 말해 놓고 금세 후회하는 해준.

**C# 30**

30) 18) 연결. 해준, 제 발로 가 골호를 집어 들고 일어선다. 뚜껑을 열고 안을 본다.

C# 31

31) 해준 시점 – 유골함 뚜껑에 붙어 있던 펜타닐이 없다.

C# 32

32)

**해준**
여기 있던 펜타닐 네 알 어쨌습니까.

C# 33

33) 알쏭달쏭한 표정의 서래, 절벽 너머를 돌아본다.

해준도 따라 본다.

C# 34

34) 32) 연결. 답 듣기를 포기하는 해준, 절벽 끝으로 가 선다.
손전등을 바닥에 내려놓는다.
포커스는 지켜보는 서래에.

C# 35

35) 30) 연결. 뼛가루를 뿌리는 해준.

C# 36

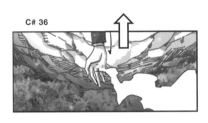

36) 아래는 계곡. 해준의 손이 프레임인하더니 뼛가루를 뿌린다.

틸트업 –

뼛가루 뿌리는 해준.

서래에게 초점 이동.
반짝이며 날아가는 입자들을 바라보는 서래.

C# 37-1

37-1) 서래 시점 – 해준, 항아리를 기울여 털어 낸다.

전진하는 카메라.

C# 37-2

C# 38

38) 로우앵글. 아래를 보는 해준, 아찔하다.
뒤에서 다가오는 서래. 발소리 듣는 해준, 죽음을
각오한다.

카메라, 천천히 전진.

C# 39

39) 절벽 끝에 선 해준. 뒤에서 다가오는 서래.
양팔을 내미는 서래. 눈 감는 해준.

그러나 서래, 뒤에서 몸을 기대며 꼭 안는다.

C# 40-1

40-1) 안도하는 해준, 서래의 체온을 느낀다.

제 주머니에서 뭔가를 꺼내 내미는 서래, 헤드랜턴으로
비춰 준다.

붐다운 –

C# 40-2

40-2)　지퍼백 든 손이 프레임인된다.

이해동 할머니 전화. 해준에게서 받았을 때의 바로 그 지퍼백 안에 여전히 들었다.

해준, 기겁하며 서래를 돌아본다.

C# 41-1

41-1)

> **해준**
> 버리라고 했잖아요!
> **서래**
> 이걸로 재수사해요.
> '붕괴' 이전으로 돌아가요.

자기가 진정으로 그것을 원하는지 몰라 말 못 하는 해준.
서래, 그의 옷주머니에서 립밤 꺼내 바른다.
해준 입술에도.

> **서래**
> 난 해준 씨의 미결 사건이 되고 싶어서
> 이포에 갔나 봐요.

다른 주머니에서 브레스민트 통을 꺼내는 서래, 무슨 물건이 어느 주머니에 들었는지 다 안다.

카메라 전진.

한 알 입에 머금고 해준에게 키스. 꼭 끌어안는 해준.

좌우로 스윙하면서 남녀의 얼굴을 번갈아 더 자세히 보여 주는 카메라.

C# 41-2

41-2) 긴 키스 끝에 갑자기 입술을 떼는 서래.

해준, 눈 뜬다.

C# 42

42) 해준 시점 - 약간 멀어지는 서래 얼굴.

**서래**
벽에 내 사진 붙여 놓고 잠도 못 자고
오로지 내 생각만 해요.

발 없는 유령처럼 스르르 물러나는 서래.

| 139 | N | L | 20:20 | setup 21 |
|-----|---|---|-------|----------|
| | 호미산 | | 서래의 엄마와 외할아버지의 유골을 뿌려 주는 해준.<br>해준에게 재수사하라고 말하는 서래 | |

C# 43

43) 해준 얼굴에 닿는 서래의 헤드랜턴 빛이
어두워진다.

C# 44

44) 42) 연결. 서래, 손 들어 인사한다.

몸을 돌려 가는 서래.

C# 45

45) 43) 연결. 해준 얼굴에 빛이 사라진다.

C# 46-1

46-1) 44) 연결. 서래, 총총 내려간다.

**C# 46-2**

46-2) 흔들흔들 사라지는 헤드랜턴 빛.

틸트다운 -

해준 손에 들린 월요일 할머니의 전화기.

**C# 47**

47) 39) 연결. 전화기를 내려다보던 해준, 절벽을 향해 몸을 돌린다. 절벽 아래로 할머니의 전화기를 던지는 해준. 프리즈프레임.

C# 1

1) 카메라 앞으로 와 서는 해준의 차 정면,

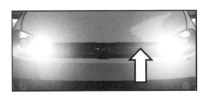

헤드라이트 꺼진다. 붐업하는 카메라 –

해준, 프레임인된다. 지칠 대로 지쳤다.

C# 2

2) 하차하는 해준.
집에 안 들어가고 우뚝 서서 '뭐지?' 표정.

돌돌돌 바퀴 소리 먼저 들리더니 여행용 트렁크 두 개를
끌고 마당으로 나서는 자기보다 약간 젊고 키는 더 큰 남자.
낯익은 트렁크와 낯선 남자. 남자도 이쪽을 알아본 듯
주춤주춤 걸음이 느려지면서 스쳐 지나간다.
정안 차 트렁크에 짐을 싣는 남자.

양손에 작은 가방과 비닐봉지 따위를 잔뜩 들고 나오는
정안, 해준을 발견하고 멈춰 서더니 젊은 남자에게 –

**정안**
이 주임!

| 140 | N | L | 23:00 | setup 9 |
|---|---|---|---|---|
| | 마당 - 정안 집 | | 이 주임과 마주치는 해준. 짐 챙겨 떠나는 정안 | |

C# 2-2

2-2)  돌아서서 다가오는 젊은 남자, 부부 사이에 선다.

C# 3

3)  귀를 의심하는 해준.

C# 4

4)  해준 너머 이 주임, 이 주임 너머 정안.

**정안**
보는 건 첨이지?
이 주임 최근에 이혼했대.

C# 5

5)  3) 연결. 이 주임이 남자라는 사실에 놀라서 멍하니 선 해준.

C# 6

6)  4) 연결. 이 주임, 반갑게 손을 내민다.

**이 주임**
이준입니다, 말씀 많이 들었습니다.

C# 7

7) 2) 연결. 꿈꾸는 사람처럼 멍하니 선 해준.

이 주임, 눈치 있게 차로 가면서 비켜 준다.

C# 8

8) 손가락 관절을 뚝뚝 꺾는 해준.

C# 9

9) 마른 길바닥을 두리번거리는 해준, 정안에게 -

**해준**
여긴 눈 안 왔어?
**정안**
뭐?

해준, 정안의 손을 본다.

C# 10

10) 해준 시점 - 비닐봉지 속 자라.

C# 11

11) 9) 연결. 이 주임 섰던 자리로 다가오는 해준, 정안 앞길을 막아선다.

트래킹해서 다시 정안 어깨너머 화면을 만드는 카메라. 멀리 보이는 이 주임.

**해준**
그럼 우리 그 문젠 어떡해?

정안 차의 트렁크를 쿵 닫는 이 주임.

C# 12

12) 이 주임 쪽이 신경 쓰이는 정안.

**정안**
뭐.

C# 13

13) 조수석에 타는 이 주임.

**C# 14**

14) 11) 연결. 이 주임이 조수석 문을 강하게 닫는 소리가 신경 쓰이는 해준.

**해준**
믿고 싶을 때도 매주 하기로 한 거.

**C# 15**

15) 12) 연결. 잠시 침묵 후 –

**정안**
좀 비켜 줄래?

C# 1

1) 더블베드에 혼자 누운 해준, 수면 장애 치료기인 양압기의 코 마스크를 써서 기괴해 보인다.

입으로 숨 못 쉬게 살색 반창고를 세로로 붙인다.

C# 2

2) 호스를 통해 코에 바람 들어가는 쉭쉭 소리. 천장을 노려보는 해준.

C# 3

3) 해준 시점 - 천장 벽지에 핀 곰팡이로 줌인.

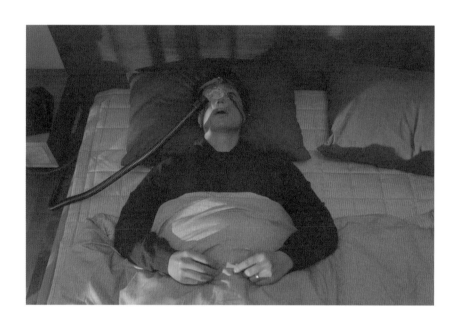

**C# 1**

1) 신 신은 채 벤치에 누워 일광욕하는 해준,
이어폰으로 말러 교향곡을 듣다가 전화가 울리자 손을
들어 발신자 이름을 확인한다. 받는다.

**해준**
오랜만이네.
**수완**
(소리)
바쁘세요?
**해준**
응. 일광욕하느라.
**수완**
(소리)
헐.
질곡동 사건 이지구 있잖아요?
도망갔는데 어디 숨었을까요?
**해준**
지구는 왜?
**수완**
(소리)
살인이요.
오빠피씨방 알바 아가씰 죽였네요.

**C# 2**

2) 해준, 말문이 막힌다.

**수완**
(소리)
그때 지구는 사람 못 죽인댔잖아요.

해준, 아직도 할 말이 없다.

**C# 3-1**

3-1) 해준 시점 - 해를 가리고 있던 구름이 움직인다.

C# 3-2

3-2)  해준 시점 – 해가 쨍쨍하다.

**수완**
(소리)
근데 죽였네요.

C# 4

4)  1) 연결. 구름 그림자가 사라졌다.

**해준**
(눈 질끈 감고 애써 차분한 척)
그러네.
**수완**
(소리)
보고서 보내 드릴게요,
뭐 생각나면 전화 주세요.

전화 끊자 다시 말러. 숨이 가빠온다.
ㅂ동치는 가슴에 손을 얹어 누른다.
얼굴에 드리워지는 누군가의 그림자.
잠시 후, 알람이 울리자 깜짝 놀라 눈 뜨는 해준.

C# 5

5)  바로 앞에 뒷짐 지고 서서 자기를 내려다보고 있는
연수.

**연수**
간만에 해 좋죠? 삼십 분 지났습니다.

C# 6

6)  이어폰 빼고 일어나 앉는 해준.

**연수**
해녀 선생님들한테 말씀드렸어요.
전복 따다가 혹시 전화기 보면 꼭 좀 갖다 달라고.

| 142 | D | L | 09:30 | setup 6 |
|------|---|---|-------|---------|
| | 중정 - 이포 경찰서 | | 일광욕 중에 수완의 전화를 받는 해준.<br>임호신 대포폰을 찾아온 연수 | |

**C# 7**

7) 서류 봉투에서 뻘 흙이 말라붙은 휴대 전화를
불결한 물건을 잡듯이 꺼내 해준 코앞에 내미는 연수.

**연수**

이게 복구가 될까요?

| 143 | D / N | L | 14:30 / 22:15 | setup 5 |
|------|-------|---|---------------|---------|
| | 해안 도로변 언덕 / 이포대교 / 펜션 거실 | | 임호신 휴대폰에서 서래와의 문자 내역을 확인하는 해준 | |

C# 1

1) 찬바람을 맞고 선 해준.

C# 2

2) 해준 시점 - '부활 폰수리센터' 로고가 인쇄된 봉투를 열어 이제 깨끗해진 임호신 폰을 꺼낸다.

C# 3

3) 바다가 잘 내려다보이는 언덕에 선 해준.

C# 4

4) 1) 연결. 판도라의 상자를 열기 전의, 겁나지만 궁금한 표정.

C# 5

5) 2) 연결. 호신의 명함에 쓰인 사진이 배경화면으로 설정되어 있다.

휴대폰을 열어 서래와의 문자 대화 창을 연다.

**C# 6**

6) 과거 – 추운 밤. 차가 씽씽 달리는 다리, 좁은 인도를 걸으며 미친 듯한 속도로 문자하는 호신. 화면에 덮이는 단어들. 자모음 하나씩 타이핑된다. (VFX)

'이 대박 음성파일 들려주려고 너의ㅋㅋ 해준 씨의 마눌아한테 전화했는데 안 받네? ㅠㅠ'
'아침엔 받겠쥐?'

**C# 7**

7) 과거 – 펜션. 거실 소파에 앉아 문자하는 서래, 당황한 얼굴. 답장을 한다.
화면에 덮이는 단어들. 자모음 하나씩 타이핑된다. (VFX)

'지금 중국 사람들하고 이야기 잘되는데
그냥 이대로 망하고 싶어?'

**C# 8**

8) 6) 연결. 커다란 화물 트럭이 고속으로 지나간다. 화면에 덮이는 단어들. 자모음 하나씩 타이핑된다. (VFX)

'어짜피 난 곧 죽을 목숨.'
'철썩 엄마 오래 못 산다니까.'
'그 새낀 내가 어딜 가든 쪼차오자나.'

**C# 9**

9) 4) 연결. 해준, 뒤통수를 한 대 맞은 듯한 표정.

**C# 10**

10) 8) 연결. 화면에 덮이는 단어들. 자모음 하나씩 타이핑된다. (VFX)

'조아'
'모래까지 중국놈들 답 못 받아오면'
'이 대박 음성파일, 인터넷에 올린다.'
'경찰이 피의자하고 어떤 작난을 치고 다니는지.'
'국민의 알 권리 차원에서.'

**C# 11**

11) 7) 연결. 화면에 덮이는 단어들. 자모음 하나씩 타이핑된다. (VFX)

'중국 사람들하고 모레 점심 같이 먹기로 했으니까 아침 10시까진 집에 들어와.'

더 할 말 없다는 듯 전화기를 주머니에 넣는 서래.

**C# 12**

12) 9) 연결. 하얗게 질린 얼굴로 메시지 읽는 해준.

**C# 13**

13) 5) 연결. 재빨리 음성 메모함을 확인하는데 파일이 아무것도 없다.

**C# 14**

14) 12) 연결. 답답한 해준, 하릴없이 주위를 둘러본다.

C# 1

1) 캠코더 고정시킨 바 너머로 본 앵글. 초조하게 여기저기 보면서 기다리는 해준. 문 열리는 소리에 정면을 본다.

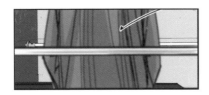

철성이 들어와 맞은편에 앉으면서 해준을 가린다.

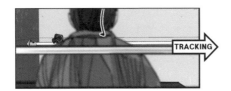

수평이동하는 카메라, 해준을 다시 찾는다.

**해준**
어머니 돌아가신 날 아침에 송서래 만났죠?

C# 2

2) 철성, 놀란다. 해준이 사진을 내민다.

| 144 | D | S | 16:00 | setup 3 |
|------|---|---|-------|---------|
| | 신문실 - 이포 경찰서 | | 사철성 어머니 병실에 서래가 방문한 일을 확인하는 해준 | |

**C# 3**

3) 철성 시점 - 서래가 병원에 들어서는 CCTV 캡처된 흑백 사진들. 서래는 꽃다발을 들었다.

**C# 4**

4) 2) 연결. 사진에서 눈 들어 해준을 보는 철성.

**철성**
병문안 왔더라구요, 아침 일찍.

**C# 5**

5) 1) 연결. 반대 방향으로 수평이동하는 카메라, 해준 얼굴이 다시 철성의 등짝에 의해 가려진다.

| 145 | D | L | 09:15 | setup 1 |
|---|---|---|---|---|
| | 입원실 - 병원 | | 플래시백 - 서래가 어머니 병문안 왔었던 일을 회상하는 철성 | |

C# 1

1) (앞 씬) 철성의 등으로 가려졌던 화면이, 카메라가
수평이동하면서 벗겨지자 빨간 장미 한 다발을 든 서래
모습이 드러난다. (VFX)

중국어로 하는데 외화 더빙하는 것처럼 철성의
한국어로 들린다.

**서래**
感觉阿姨可能这样去世，心里不好受。
大家都是中国人。
[gan jue a yi ke neng zhe yang qu shi, xin li bu hao
shou. da jia dou shi zhong guo ren.]
**철성**
(소리)
이렇게 돌아가실 것 같아 마음이 안 좋다고,
같은 중국 사람끼리.

같은 방향으로 카메라 계속 수평이동. 철성의 등짝에
의해 가려진다.

| 146 | D | S | 16:02 | setup 5 |
|------|---|---|-------|---------|
| | 신문실 / 탕비실 - 이포 경찰서 | | 사철성 어머니 병실에 서래가 방문한 일을 확인하는 해준. 사철성 휴대폰의 위치 추적 앱을 언급하는 연수 | |

C# 1

1) 철성의 등으로 가려졌던 화면이, 카메라가 수평이동하면서 벗겨지자 다시 해준 -

**해준**
무슨 약 같은 거 가져와서 권하지 않던가요?
당뇨에 좋다거나 뭐…….
청록색 캡슐인데.

C# 2

2)

**철성**
그거보다, 그 여자가 꼴에 환자를 잘 다루더라구요.
따뜻한 물수건으로 손발 닦아 드리고
여기저기 주물러 대니까 기분이 좋아지셔서
저도 잠깐 아침 먹으러 갔어요.
와 보니까 송서래는 갔고
엄마만 눈 감고 누워 가지고는
어려서 시금치 많이 못 먹인 거 미안하다고
그딴 쓸데없는 소리 씨부리다가
자꾸 이상하게 잠 온다고…….
(다시 슬픈 생각이 나는지 눈물 훔치다 말고)
엄마 돌아가신 거랑 송서래가 주물러 준 거랑
무슨 상관이 있어요?

C# 3

3) 해준을 기록하는 캠코더에 달린 액정 화면으로 줌인.

호형 트래킹하면서 액정 표면을 훑는 카메라.

해준, 벌떡 일어선다.

447

**C# 4**

4) 탕비실에서 모니터를 통해 보이는 해준, 일어서 방을 나가는 해준.

좌향 패닝 –

실물 해준이 이 방으로 들어온다.

> **해준**
> 송서래 아직 연락 안 돼?

**C# 5**

5)

> **연수**
> 예, 근데요 철썩이가 지 폰에
> 위치 추적 앱 깔았다고 하지 않았습니까?

**C# 6**

6) 4) 연결.

> **해준**
> 철썩이 폰 어딨냐?

C# 1

1) 나쁜 자세로 운전하는 서래. 자동차 스피커에 블루투스 연결된 서래의 휴대폰이 울린다. 발신자 확인하는 서래, 저도 모르게 늘어져 있던 상체가 꼿꼿하게 펴지면서 눈에 생기가 돈다.

서래, 전화 받는다.

> **서래**
> 해준 씨.
> **해준**
> (소리)
> 임호신 전화 건져서 복구했어요.
> (해준의 사무적인 태도에 실망해서
> 표정이 굳는 서래)
> 당신 남편을 죽인 건 사철성이죠.

C# 2

2)

> **서래**
> 호신 씬 나쁜 일을 너무 했어요.
> **해준**
> (소리)
> 하지만 사철성 어머닐 죽인 건 당신이에요.
> (서래, '올 것이 왔다')
> 사철성은 자기 어머니가 죽으면 당신 남편을
> 죽이겠다고 했으니까.

C# 3

3) 해안 도로를 달리는 서래의 차.
(직부감. VFX 가능성 논의 필요)

C# 4-1

4-1) 디졸브.

> **해준**
> (소리)
> 사철성 엄마는 무슨 나쁜 일을 했나요?

| 147 | D | O / L | 16:20 | setup 13 |
|---|---|---|---|---|
| | 서래 차 안 / 해준 차 안 - 해안 도로 | | 서래와 통화하며 위치 추적 앱이 가리키는 장소로 운전하는 해준.<br>목적지에 도착한 서래, 전화기를 차에 놓고 내린다 | |

**C# 4-2**

4-2)  차에 거치된 사철성 전화기. 위치 추적 앱에
서래의 위치 깜빡인다.

**해준**
(소리)
어차피 곧 돌아가실 분인데
뭐가 그렇게 급해서 펜타닐을 먹였어요?

**C# 5**

5)  엑셀 밟는 해준의 발.

**서래**
(소리)
나한테 고맙다고 하셨어요.

**C# 6**

6)  약간 하이앵글. 핸들을 꽉 잡은 해준의 왼손.

**해준**
사철성 엄마도, 임호신도……

줌아웃/틸트업 –

엄청난 속도로 운전하는 해준.

**해준**
다 나 때문에 죽은 거죠?

**C# 7**

7)  대답 없는 서래, 우회전한다.

C# 8

8) 6) 연결. 해준, 좌회전한다.

C# 9

9) 해준, 초조하게 대답을 기다려 보지만 소득이 없자 –

**해준**
임호신이 뿌리겠다고 한 음성 파일이 뭐예요?
**서래**
(소리)
그건 걱정 말아요.
**해준**
걱정돼서 하는 소리가 아니잖아요!
서래 씨도 그 파일 갖고 있죠?
말해요, 무슨 녹음이에요?
**서래**
(소리)
당신 목소리요, 나한테 사랑한다고 하는.

동요하는 해준.

**해준**
내가요?

C# 10

10) 7) 연결.

**서래**
너무 좋아서 자꾸 들었어요.

C# 11

11) 9) 연결. 카메라 계속 전진.

**서래**
(소리)
그걸 남편이 알아 버렸어요.

C# 12

12) 해준의 차 속도계. 위험하게 올라가는 바늘.

C# 13

13) 10) 연결.

**해준**
(소리)
내가 언제 사랑한다고 했어요?

해안 도로변에 주차하는 서래.
카메라 전진.

**서래**
(쓴웃음 지으며 중국어로)
날 사랑한다고 말하는 순간
당신의 사랑이 끝났고
당신의 사랑이 끝나는 순간 내 사랑이 시작됐죠.
你说爱我的瞬间，你的爱就结束了。
[ni shuo ai wo de shun jian, ni de ai jiu jie shu le.]
你的爱结束的瞬间，我的爱就开始了啊。
[ni de ai jie shu de shun jian, wo de ai jiu kai shi le a.]

C# 14

14) 11) 연결.

**해준**
뭐라고요? 한국말로 해 줘요.

C# 15

15) 13) 연결.

**서래**
(울음 터질까 봐 이를 악 문다.
이미 눈물이 가득 찼다)
해준 씨…… 임호신 전화, 그거 버려요…….
깊은 바다에 버려요.

C# 16

16) 서래가 차 시동을 끈다.

**해준**
(소리)
내가 언제 당신을 사랑한다고 그랬…….

C# 17

17) 전화기의 검은 화면에 반사된 서래.
해준이 말하고 있는데 블루투스 연결이 뚝 끊긴다.

액정에 해준 이름이 뜬다. 서래 내리는 소리. 운전석 문
닫히는 소리와 함께 흔들리는 전화기.

**해준**
(작은 소리)
여보세요?

C# 18

18) 운전하는 해준의 시점 - 전화기를 귀에서 떼
액정을 들여다보는 해준.

C# 19

19) 다시 귀에 전화기를 대는 해준, 서래가 대답이 없자
다시 불러본다.

**해준**
서래 씨?

통화 종료 버튼을 누르는 해준, 휴대폰을 조수석에 던진다.

| 148 | D | L | 16:26 | setup 9 |
|------|---|---|-------|---------|
| | 바닷가 / 해준 차 안 | | 표시해 둔 장소로 가 구덩이를 파기 시작하는 서래.<br>목적지로 다급히 운전하는 해준 | |

C# 1

1) 가만히 바다를 보는 서래.

붐업 / 바다로 포커스 이동 –

수평선이 올라간다.

서래, 좌측으로 프레임아웃한다.

C# 2

2) 디졸브, 멀리서 빠르게 달려오는 해준의 차.
해준 얼굴로 줌인.

C# 3-1

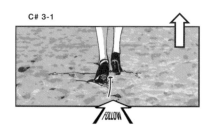

3-1) 스테디캠. 푹푹 파이는 모래 위를 걷는 서래의 발.

카메라 속도가 느려진다.

틸트업 –

454

C# 3-2

3-2)  산 모양 바위를 향해 걸어가는 서래, 손에 녹색 플라스틱 양동이를 들었다. 목적지를 알고 가는 사람의 걸음걸이.

멀어진 간격을 유지한 채 서래를 따르는 카메라.

계단을 올라 오른쪽으로 꺾어 자취를 감추는 서래.

C# 4

4)  2) 연결. 해준의 차가 터널로 들어가면서 갑자기 어두워진다.

C# 5

5) 산 모양 바위의 반대편. 모습을 드러내는 서래, 모래밭으로 내려온다.

C# 6

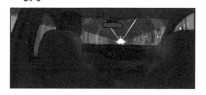

6)  터널 출구가 조그맣게 보인다.

| 148 | D | L | 16:26 | setup 9 |
|---|---|---|---|---|
| | 바닷가 / 해준 차 안 | | 표시해 둔 장소로 가 구덩이를 파기 시작하는 서래.<br>목적지로 다급히 운전하는 해준 | |

**C# 7**

7) 바위가 프레임을 가득 채운 상태.

카메라 전진하면서 상승해서 서래를 찾아낸다.

모래에 깊이 꽂아 위치 표시해 둔 대나무 장대를 쑤욱
뽑아서 버리는 서래,
그 자리의 모래를 퍼내기 시작한다.

**C# 8**

8) 모래 퍼내는 서래 손과 양동이.

**C# 9**

9) 달리는 해준 차의 바퀴. 터널을 벗어난다.

C# 10

10) 사철성 휴대폰의 위치 추적 앱 화면 - 서래의 위치 표시 점(원형).

해준의 차 위치를 표시하는 점(세모)이 프레임인한다.

서래의 점을 향해 움직이는 해준의 점.
서래의 위치는 고정.

C# 11

11) 8) 연결.
모래 퍼내는 서래의 손.

C# 12

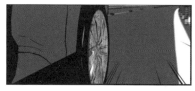

12) 9) 연결.

C# 13

13) 10) 연결. 고정된 서래의 점을 향해 움직이는 해준의 점.

C# 14

14) 7) 연결. 일정한 속도로 꾸준히 모래를 퍼내 큰 구덩이를 만드는 서래.

어느 정도 구멍이 깊어지자 안으로 들어가 판다.

준비해 온 이과두주를 꺼내는 서래.

| 148 | D | L | 16:26 | setup 9 |
|------|---|---|-------|---------|
| | 바닷가 / 해준 차 안 | | 표시해 둔 장소로 가 구덩이를 파기 시작하는 서래.<br>목적지로 다급히 운전하는 해준 | |

C# 15

15) 병마개를 따는 서래의 손.

C# 16

16) 술 들이켜는 서래의 입.

C# 17

17) 14) 연결. 시계 보는 서래, 시간에 쫓기는 사람처럼 더 열심히 판다.

| 149 | S S | L | | 16:50 | setup 9 |
|------|-----|---|---|-------|---------|
| | 바닷가 도로 | | | 버려진 서래의 차와 휴대폰을 발견하는 해준 | |

C# 1

1) 위치 추적 앱 화면. (VFX)

해준의 점이 서래의 점을 향해 움직여 결국 만난다.

C# 2

2) 바다와 자동차 도로가 보이는 부감.
시간 경과된 상태 - 해 지기 직전.
갓길에 버려진 서래의 차.

프레임인하는 해준 차, 서래 차 뒤에 선다.

서래 차로 뛰어가는 해준, 운전석 창을 통해 안에
아무도 없음을 확인하고는 차 앞으로 가 주위를
두리번거린다.

인공 눈물을 꺼내 들고 머리를 뒤로 젖힌다.

**C# 3**

3) 해준 눈 클로즈업. 인공 눈물 한 방울.

**C# 4**

4) 위치 추적 앱 – 서래 점과 해준 점의 빅 클로즈업.
(VFX)
짧은 숏.

**C# 5**

5) 반대쪽 눈에도 인공 눈물 한 방울.
짧은 숏.

**C# 6**

6) 4) 연결.
짧은 숏.

**C# 7-1**

7-1) 5) 연결.

카메라 후진.

**C# 7-2**

7-2)   위치 추적 앱에 생각이 미친 해준, 서래 차를 본다.

**C# 8**

8)   해준 시점 – 서래의 차.

안개와 인공 눈물 때문에 흐릿한 시야.

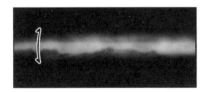

해준, 눈을 깜박인다.

시야가 선명해진다. (VFX)

**C# 9-1**

9-1)   앞 유리창 너머로 보이는 해준, 다가온다.
좌측으로 프레임아웃하면서 운전석 쪽으로 오는 해준.

| 149 | S S | L | 16:50 | setup 9 |
|------|-----|---|-------|---------|
| | 바닷가 도로 | | 버려진 서래의 차와 휴대폰을 발견하는 해준 | |

C# 9-2

9-2) 문 열리는 소리와 함께 다시 프레임인하는
해준의 상체.

오른손 뻗어 거치대에 있는 서래 휴대 전화를 빼 가는
해준, 프레임아웃.

차 문 닫히는 소리.

C# 10

10) 서래의 휴대 전화를 보는 해준.

C# 11

11) 해준 시점 - 서래의 휴대 전화.

액정을 터치하자 비번을 요구하는 키패드가 뜬다.
'150724'를 입력하자 화면이 열린다.

해준 보란 듯이 바탕화면에 깔린 앱은 음성 메모가
유일하고, 거기 저장된 파일도 하나뿐이다.

| 150 | S S | L | 16:51 | setup 8 |
|------|-----|---|-------|---------|
|      | 바닷가 | | 구덩이 안으로 들어가는 서래, 바다를 본다 | |

C# 1

1) 구덩이 안에 위치한 카메라.
주변을 둘러보는 서래.

C# 2

2) 서래 시점 - 바다와 해.

C# 3

3) 다른 곳을 보는 서래.

C# 4

4) 서래 시점 - 물에 젖은 바위.

C# 5

5) 3) 연결. 서래, 고개 돌려 구덩이를 내려다본다.

| 150 | S S | L | 16:51 | setup 8 |
|---|---|---|---|---|
| | 바닷가 | | 구덩이 안으로 들어가는 서래, 바다를 본다 | |

**C# 6**

6) 음성 메모 앱이 틀어진 휴대폰 액정 너머로 보이는 해준, 재생할지 말지 고민한다. (VFX)

**C# 7**

7) 바다를 보던 카메라, 틸트다운.

구덩이를 잠시 내려다보다가 -

서래가 프레임인하면 바닥 높이로 붐다운/틸트업하는 카메라. 깊은 구덩이로 들어가 앉는 서래.

쌓아 놓은 모래 더미에 의해 시야가 막힌다.

| 150 | S S | L | 16:51 | setup 8 |
|------|-----|---|-------|---------|
|      | 바닷가 | | 구덩이 안으로 들어가는 서래, 바다를 본다 | |

**C# 8**

8) 바다 쪽에서 본 구덩이. 서래 뒤로 쌓인 모래 더미.
(파도의 시점인 양) 서래를 향해 가는 카메라.
서래, 이과두주 한 모금 마신다.

**C# 9**

9) 서래 시점 - 밀물이 들어온다.

**C# 10**

10) 8) 연결.

| 151 | S S | L | 16:52 | setup 1 |
|------|------|------|--------|---------|
| | 바닷가 도로 | | 서래 휴대폰의 음성 파일을 재생해 보는 해준 | |

C# 1

1) 씬150의 6) 연결. 망설이는 해준.

카메라를 향해 다가오는 손가락, 결국 재생 버튼을
누르는 해준.

**해준**
(소리)
사진 태우고⋯⋯

부산에서 녹음된 소리가 흘러나오자 저도 모르게
움찔한다. 기겁해서 일시 정지를 눌렀다가 심호흡하고
다시 재생. 그로서는 잊고 싶은 악몽이다.

**해준**
(소리)
⋯⋯ 내가 녹음한 파일들 다 지우고
그것도 참 쉬웠겠네요?

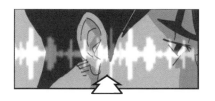

귀 가까이 전화기를 대는 해준의 동작에 맞춰 이동하는
카메라.

**해준**
(소리)
좋아하는 '느낌만 좀' 내면⋯⋯

| 152 | S S | L | 16:53 | setup 1 |
|------|-----|---|-------|---------|
|      | 바닷가 | | 구덩이 깊숙이 앉는 서래, 이제 머리끝도 안 보인다 | |

**C# 1**

1) 씬150의 9) 연결.
서래 시점 - 바다와 석양.
물이 더 가까이 왔다.

**해준**
(소리)
내가 알아서 다 도와주니까?

**C# 2**

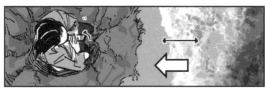

2) 파도가 서래 구덩이에
가까워진다.
좌향 트래킹해서 서래까지 보인다.
양팔로 무릎을 안았다.
또 술 한 모금.
더 깊이 앉으려고 깔고 있던
양동이를 빼는 서래.

**C# 3**

**서래**
(소리)
우리 일을 그렇게 말하지 말아요.

3) 씬150의 10) 연결.
더 깊이 앉는 서래.

**해준**
(소리)
우리 일, 무슨 일이요?

이제 밖에서 머리끝도 안 보인다.

카메라 후진, 화면 하단에서 물이 프레임인된다.
디졸브 시작.

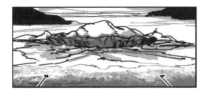

**C# 1**

1) 앞 숏에서 모래가 투명해지면서 안에 든 - 사실은 호텔의 소파에 앉은 - 서래의 모습이 드러나는 디졸브(VFX).

앞 숏과 같은 속도로 후진하는 카메라.
구덩이에서와 똑같이 양팔로 무릎을 안고 소파에 앉은 서래, 스마트폰에서 재생되는 녹음 파일을 듣는다.
철성에게 맞아 멍든 얼굴에 엉클어진 머리. 해준 목소리에 취해 있다.

**해준**
(소리)
내가 당신 집 앞에서 밤마다 서성인 일이요?
당신 숨소리를 들으면서 깊이 잠든 일이요?
당신을 끌어안고 행복하다고 속삭인 일이요?

**C# 2**

2) '시마 스시' 도시락. 뚜껑을 열어 놓았지만 한 점도 안 먹었다. 이과두주 병도 보인다.

**해순**
(소리)
내가 품위 있댔죠?

**C# 3**

3) '島寿司'(시마 스시)라고 쓰인 젓가락 포장지.

**해준**
(소리)
품위가 어디서 나오는 줄 알아요?

**C# 4**

4) 1) 연결. 고개 숙이고 듣는 서래.

**해준**
(소리)
자부심이에요. 난 자부심 있는 경찰이었어요.
그런데 여자에 미쳐서……

순간, 재빨리 전화기에 손 대는 서래.

C# 5

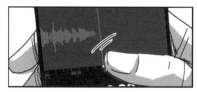

5) 듣기 싫은 부분 건너뛰고 듣고 싶은 부분으로 간다.

C# 6

6) 서래, 고개 푹 숙이고 눈은 감고 전화기는 귀에
바짝 대고 듣는다. 카메라 하강 -

**해준**
(소리)
······저 폰은 바다에 버려요,
깊은 데 빠뜨려서 아무도 못 찾게 해요.

로우앵글, 천장이 보인다.

눈 뜨는 서래, 반복 재생. 해준의 "저 폰은······"을 다시
듣다가 -

**해준/서래**
······바다에 버려요,
깊은 데 빠뜨려서 아무도 못 찾게 해요.

고개 드는 서래, 해준의 발소리, 문 여닫는 소리를 계속
듣는다.

한 박자 늦게 카메라 상승하면서 -

하이앵글. 카메라가 얼굴로 접근하는 동안 서래,
물기로 그렁그렁한 눈으로 -

**서래**
(중국어로)
바다에 버려요, 깊은 데 빠뜨려서
아무도 못 찾게 해요.
扔进海里吧。扔到很深很深的地方，谁也找不到。
[reng jin hai li ba. reng dao hen shen hen shen de
di fang, shei ye zhao bu dao.]

허공의 높은 데를 보며 미소 짓는다.

| 154 | S S | L | 17:00 | setup 19 |
|------|-----|---|-------|----------|
|      | 바닷가 | | 서래를 찾아다니는 해준, 음성 파일을 듣다가<br>서래가 했던 말의 의미를 깨닫는다 | |

C# 1

1) 서래 시점 - 로우앵글. 구덩이 안에 위치한 카메라.

카메라를 향해 파도가 밀려 들어온다.

C# 2

2) 바다 쪽에서 본 롱 숏.
해변 항해 계단 내려오는 해준이 작게 보인다.

도로에서 이어진 모래 위 발자국을 따라 바다 가까이
내려오는 해준.

줌인.

해준, 멈춰 서서 바다를 응시한다.

C# 3-1

3-1) 서래가 바다를 바라보던 자리에 선 해준.

붐다운 / 바다로 포커스 이동 -

수평선이 내려간다.

| 154 | S S | L | 17:00 | setup 19 |
|---|---|---|---|---|
| | 바닷가 | | 서래를 찾아다니는 해준, 음성 파일을 듣다가 서래가 했던 말의 의미를 깨닫는다 | |

**C# 3-2**

3-2)  더 하강하는 카메라/해준으로 초점 이동.

화면 우측으로 프레임아웃하는 해준.

**해준**
서래 씨! 서래 씨!

그새 물이 더 들어와서 발자국을 지웠다. 서래가 방향을 틀었는지 바다로 들어갔는지 알 수가 없다.

**C# 4**

4)  서래 손바닥에 떨어지는 모래와 물.

줌인.

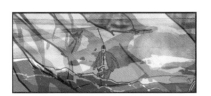

서래 손에서 다음 컷으로 디졸브.

**C# 5-1**

5-1)  높은 바위 언덕 위에 올라오는 해준.

**C# 5-2**

5-2) 해준, 서래를 찾아 두리번거린다.

**C# 6**

6) 5)의 리버스. 바위 언덕 너머는 뻥 뚫린 백사장.
아무도 없다.

몸 돌려 내려가는 해준, 프레임아웃.

**C# 7**

7) 씬150의 7) 연결.
화면을 거의 가린 모래 더미.

파도가 몰려와 모래를 쓸어 가면서 더미가 낮아진다.

안 보이던 바다가 보인다.

| 154 | S S | L | 17:00 | setup 19 |
|------|-----|---|-------|----------|
|      | 바닷가 | | 서래를 찾아다니는 해준, 음성 파일을 듣다가<br>서래가 했던 말의 의미를 깨닫는다 | |

C# 8

8) 해안 도로로 통하는 계단을 마주 본 카메라.
카메라 전진하는 중에 프레임인하는 해준.

해준이 계단 다시 올라가면 카메라 상승.
해준, 사방을 둘러본다.

C# 9

9) 파도가 밀려와 구덩이를 쓸고 지나간다.

양동이로 퍼 올려 쌓아 놓은 모래 더미를 끌고 가면서
구덩이를 더 덮는다.
구덩이에 거의 들어찬 모래 위에서 바닷물이 작은
소용돌이를 일으킨다.
(서래는 안 보인다)

C# 10

10) 8) 연결. 도로 내려오는 해준, 프레임아웃한다.

C# 11

11) 씬148의 3)과 같은 앵글. 스테디캠. 푹푹 파이는
모래 위를 달리는 해준의 발.

**C# 12**

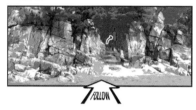

12) 씬148의 3)과 같은 앵글. 스테디캠. 계단을 올라
오른쪽으로 꺾어 자취를 감추는 해준.

**C# 13**

13) 씬148의 7)과 같은 앵글.
바위가 프레임을 가득 채운 상태.

카메라 전진하면서 상승해서 해준을 찾아낸다.

해준, 자기 전화로 연수에게 전화 건다.
연신 두리번거리느라 뒤를 돌아보기도 하고 발이 물에
잠겨도 아랑곳 않는다.

**해준**

……송서래 긴급 수배해,

여기 삼일주유소 앞 해안 도로.

……응, 데려올 수 있는 애들 다 데리고 와…….

차 버리고 없어졌어.

구덩이 있던 자리는 이제 그냥 바다.

**C# 14-1**

14-1)

**해준**

……빨리 찾으면 찾을 수 있어, 멀리 못 갔어.

(좀 듣다가 버럭)

질문할 시간에 빨리 오라고, 좀 있으면

아무것도 안 보인다고!

C# 14-2

14-2)  너무 흥분했다고 생각한 해준, 급히 끊는다.

해준에게 전진하는 카메라.

해준, 우왕좌왕하며 안절부절 여기저기 휙휙 둘러본다.

C# 15

15)  씬150의 2)와 같은 앵글.
해준 시점 - 해가 지고 있다.

패닝해서 해가 프레임의 중앙에 올 무렵 컷.

C# 16

16)  더 타이트한 숏. 저무는 해.

C# 17

17)  14) 연결. 해준, 우왕좌왕하며 안절부절 여기저기
휙휙 둘러본다.

| 154 | S S | L | 17:00 | setup 19 |
|------|-----|---|-------|----------|
| | 바닷가 | | 서래를 찾아다니는 해준, 음성 파일을 듣다가<br>서래가 했던 말의 의미를 깨닫는다 | |

C# 18

18) 씬150의 4)와 같은 앵글.
해준 시점 – 물에 젖은 바위.

C# 19

19) 17) 연결.

C# 20

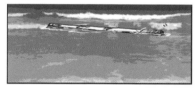

20) 해준 시점 – 물에 뜬 채 멀어지는 대나무 장대.

C# 21

21) 해준의 발.
(서래 위에) 우두커니 선 해준, 운동화가 물에 다
잠겼다. 한 발은 끈까지 풀렸다.

22-1) 씬153의 6)과 같은 앵글/카메라 무브먼트.
서래 전화기로 음성 파일을 다시 재생하는 해준, 고개
푹 숙이고 눈은 감고 전화기는 귀에 바짝 대고 듣는다.

C# 22-1

**해준**
(소리)
……여자에 미쳐서 수사를 망쳤죠. 나는요……
완전히 붕괴됐어요.

카메라 하강해서 –

**C# 22-2**

22-2) 로우앵글, 하늘이 보인다.

**해준**
(소리)
할머니 폰 바꿔 드렸어요, 같은 기종으로.
전혀 모르고 계세요.
저 폰은 바다에 버려요,
깊은 데 빠뜨려서 아무도 못 찾게 해요.

재생 종료. 눈 뜨는 해준, 사랑 고백하듯 소리 내어
따라 말해 본다.

**해준**
저 폰은 바다에 버려요.

해준, 고개를 든다.

한 박자 늦게 카메라 상승 –

카메라가 얼굴로 접근하는 동안 해준, 허공의 높은
데를 보며 마침내 '이제 알겠다' 깨닫는다.

**C# 23-1**

23-1)  21) 연결.
풀린 끈을 묶는 해준.

패닝 –

해준, 가던 방향으로 다시 힘내 뛰며 소리친다.

**해준**
서래 씨!

| 154 | S S | L | 17:00 | setup 19 |
|---|---|---|---|---|
| | 바닷가 | | 서래를 찾아다니는 해준, 음성 파일을 듣다가<br>서래가 했던 말의 의미를 깨닫는다 | |

**C# 23-2**

23-2) 해 지는 바다에 내려앉는 안개가

멀어지는 해준의 뒷모습을 감싼다.